COLLECTION PRIER 15 JOURS

# Prier 15 jours avec
# PETITE SŒUR MAGDELEINE

## DE MICHEL LAFON

*Le Père Peyriguère,* Le Seuil, Paris 1963 (2e édition remaniée et augmentée, 1967) (traduit en catalan et en italien).

*Ton prochain comme toi-même : Joseph Véniat* (1910-1953), Éditions ouvrières, Paris 1964.

*Prières et fêtes musulmanes – Suggestions aux chrétiens,* Cerf, Paris 1982.

*Bibliographie d'Albert Peyriguère,* Presses universitaires de Bordeaux, 1986.

*Vivre Nazareth aujourd'hui – La Famille spirituelle de Charles de Foucauld,* Le Sarment/Fayard, Paris 1984.

*Albert Peyriguère, disciple de Charles de Foucauld,* Le Sarment/Fayard, Paris 1993.

*Prier 15 jours avec Charles de Foucauld,* Nouvelle Cité, Paris 1995.

Prier 15 jours avec

# PETITE SŒUR MAGDELEINE

par Michel Lafon
et les Petites Sœurs de Jésus

Nouvelle Cité

Composition et couverture :
PAO Nouvelle Cité

Illustrations de couverture : photo de Petite Sœur Magdeleine (p. 1), P. S. Magdeleine et le père Michel Lafon (p. 4) ; © Archives Petites Sœurs de Jésus


37, avenue de la Marne, 92120 Montrouge
ISBN 2-85313-322-2
ISSN 1150-3521

# PETITE SŒUR MAGDELEINE DE JÉSUS

– D'une famille lorraine, Magdeleine Hutin naît à Paris le 26 avril 1898, la plus jeune de six enfants. La guerre de 1914-1918 décime sa famille (en particulier ses deux frères tués au front).
Elle rêve de partager la vie des nomades d'Afrique du Nord. Son père, ancien médecin militaire en Tunisie, lui a inculqué l'amour des Arabes.

– 1925 : Après la mort de son père, elle est l'unique soutien de sa maman, restée seule.
*« Une petite lumière éclairait cette sombre période : la lecture de la vie du P. de Foucauld, de René Bazin, en qui je trouvais tout l'idéal dont je rêvais : l'Évangile vécu, la pauvreté totale, l'enfouissement au milieu des populations abandonnées... et surtout l'amour dans toute sa plénitude :* ***Jesus-Caritas, Jésus-Amour...*** *»*
Charles de Foucauld avait été tué le 1er décembre 1916, à Tamanrasset (Sahara). Ce prophète pour l'Église de notre temps est mort seul, alors qu'il avait toujours désiré des compagnons.

– 1928 : Elle accepte de prendre la direction d'une école libre, à Nantes. Elle rêve de partir au Sahara sur les traces de Charles de Foucauld, mais sa santé est très délabrée.

– 1935 : Elle est obligée de suspendre toutes ses activités, souffrant d'une arthrite déformante, avec décalcification et atrophie des muscles de l'épaule.
Son salut, selon le médecin, serait d'aller vivre dans un pays « où il ne tombe jamais une seule goutte d'eau », comme le Sahara. La prescription du médecin authentifiait sa vocation.
*« Dieu me prenait par la main… et, aveuglément, je suivais. »*

– 1936 : Avec sa maman et sa première compagne, Anne, elle débarque à Alger.
L'abbé Declercq, curé de Boghari, à 150 km d'Alger, lui demande de créer un centre d'œuvres, en plein quartier musulman.
*« Chaque semaine, trois jours étaient consacrés au dispensaire, à l'ouvroir, à la soupe des pauvres, les trois autres jours à de grandes tournées d'amitié à l'extérieur. »*
Cette activité débordante l'empêche de satisfaire son désir d'une *« vie contemplative au milieu du monde musulman, à la suite du Frère Charles, pour y porter Jésus, comme le fit la Vierge de la Visitation »*.

– 1938 : Elle rencontre le père Voillaume, fondateur des Petits Frères de Jésus, avec lequel s'établit une collaboration confiante qui durera jusqu'à la fin de sa vie.

L'œuvre de Boghari est confiée à une congrégation religieuse.
Mgr Nouet, préfet apostolique du Sahara, prêt à l'accueillir, décide leur admission (Anne et elle) au noviciat des Sœurs Blanches, à Saint-Charles-Birmandreis, près d'Alger. Voulant qu'elles viennent dans son diocèse en religieuses non en laïques, il demande à Magdeleine d'écrire des constitutions, alors qu'elle *« ne pensait à rien d'officiel et surtout sans avoir l'intention de fonder une nouvelle congrégation ».*

– 1939 : 8 septembre. Profession de Sr Magdeleine avec Sr Anne chez les Sœurs Blanches. *« Ce jour est considéré comme la date de fondation des Petites Sœurs de Jésus. »*
Les deux premières Petites Sœurs s'installent à Touggourt, au Sahara algérien, *« dans un lieu appelé Sidi Boujnan, situé en plein désert, au milieu des tentes ».*

– 1941 : En France, à 3 km d'Aix-en-Provence, Le Tubet devient *« la première fraternité de noviciat et future maison-mère des Petites Sœurs de Jésus ».*
Pendant les années qui suivent, P.S. Magdeleine donne plus de 600 conférences à travers la France, pour assurer la subsistance des novices et faire connaître Frère Charles et la Fraternité des Petites Sœurs.

– 1944 : À Rome, elle présente la Fraternité au Pape Pie XII, y joignant une supplique sur la pauvreté. Elle est reçue en audience privée par celui-ci : *« Le Saint-Père, tout souriant, me regardait avec des yeux si bons et si compréhensifs, que je me suis sentie tout de suite acceptée et comprise, moi et mes Petites Sœurs.* »

– 1945 : Elle rédige un petit livret, appelé par la suite le « Bulletin vert », où elle exprime les idées-forces de la fondation. Chaque Petite Sœur est appelée à être *« témoin de Jésus, mêlée à la masse humaine comme le levain dans la pâte… contemplative au milieu du monde »*. Ce texte est publié par deux revues et diffusé un peu partout.

– 1946 : P.S. Magdeleine acquiert la certitude profonde que la Fraternité, jusque-là consacrée aux pays d'Islam, doit s'étendre au monde entier. C'est la naissance de la « Fraternité universelle ».
Notre Dame du Sahara sera désormais invoquée chez les Petites Sœurs comme *« Notre Dame du monde entier donnant son tout petit Jésus au monde »*.

– Mgr Charles de Provenchères, archevêque d'Aix-en-Provence, devenu l'Ordinaire de la Fraternité, suit attentivement et encourage ce que P.S. Magdeleine appelle *« toutes nos innovations bien audacieuses pour l'époque » :* première fraternité ouvrière en 1946, avec des « religieuses en usine » ; la première fraternité de rite oriental (1948) ; la première tente au milieu des nomades musulmans, en 1948, au Sahara ; la première roulotte au milieu des Gitans (1949). Et aussi les premières Petites Sœurs bergères faisant la transhumance, la fraternité consacrée aux malades de la lèpre et celles en bidonville…

etc. Partout P.S. Magdeleine obtient la permission de la présence du Saint Sacrement, quel que soit le mode d'habitat.
Pour achever le tableau, elle relève le premier « stop » de Petites Sœurs sac au dos (1942), ce qui deviendra une image familière.

– 1949 : À Bethléem, P.S. Magdeleine renonce à sa charge de Prieure générale pour la confier à P.S. Jeanne. Elle désire être plus libre pour se consacrer aux fondations lointaines et pour se rendre au-delà du « rideau de fer ».

– 1950 : La maman de P.S. Magdeleine, qui s'était retirée au Tubet, meurt, entourée par les Petites Sœurs. Plus tard, sera créé au Tubet un foyer pour les parents âgés des Petites Sœurs.

– 1953-1954 : Elle accomplit *« sans forces et sans argent »* un « tour du monde », en vue d'implanter partout des petites fraternités.
*« Il doit y avoir maintenant,* écrit-elle en décembre 1953, *100 fraternités et 300 Petites Sœurs. Et l'on se sent toutes petites en face de cette vie qui monte. »*

– 1956 : Premier voyage de P.S. Magdeleine en Europe de l'Est. À partir de cette date, chaque été, pratiquement, elle consacre plusieurs mois à sillonner les pays d'au-delà du « rideau de fer », à nouer des liens fraternels avec les chrétiens de l'Église du silence et à fonder la fraternité.

– 1957 : À Rome, sur un terrain des pères Trappistes de Tre Fontane, les Petites Sœurs établissent ce qui deviendra leur fraternité générale. Jusqu'à sa mort, P.S. Magdeleine travaillera à faire, de ce village de baraquements, la maison de famille de toutes les Petites Sœurs, en même temps qu'un lieu ouvert à tous, au cœur de l'Église.

– 1959 : Visite apostolique d'un représentant du Saint-Siège. Cette enquête minutieuse, qui dure près d'un an, aboutit à consacrer « la forme de vie de la Fraternité » et à approuver les orientations données par la fondatrice.

– 1964 : La Fraternité est reconnue de droit pontifical. Dans ses voyages vers l'Est, P.S. Magdeleine pénètre pour la première fois en Russie.

– 1969-1970 : Chapitre général « d'aggiornamento » de la Fraternité.
À ce moment on compte plus de 1000 Petites Sœurs (avec les novices et les postulantes) de 52 nationalités, réparties en 186 fraternités.

– 1979 : Voyage en Chine de P.S. Magdeleine.
Étant donné sa santé, ces voyages annuels sont très éprouvants et en même temps ils apportent beaucoup de réconfort à ceux qu'elle rencontre.

– 1989 : La Fraternité fête ses cinquante ans d'abord au Tubet (3 septembre), puis à Rome (8 septembre).

Au cours de ce voyage, P.S. Magdeleine déjà très fatiguée, fait une très mauvaise chute. Dans les semaines qui suivent, son état de santé s'aggrave. Le 19 septembre, elle reçoit le sacrement des malades.
Le 5 novembre : dernière veillée de prière avec les Petites Sœurs qui l'entourent.
Le 6, elle redit : *« Laissez-moi partir au paradis »* et, peu avant de mourir : *« Je ne peux plus attendre. »*
Le 10, ce sont les funérailles à Tre Fontane, présidées par le P. Voillaume, entouré d'évêques et de nombreux prêtres, au milieu d'une foule de Petites Sœurs et d'amis du monde entier.
Elle est enterrée dans une grotte à Tre Fontane.

# INTRODUCTION

*« Notre vocation est vaste comme l'Évangile*
*et vaste comme les confins du monde. »*
*P.S. Magdeleine*

Petite Sœur Magdeleine de Jésus est peu connue du public chrétien. Elle a pourtant joué un rôle important dans la rénovation de la vie religieuse qui a suivi le Concile, par ses intuitions exprimées dès 1946 et vécues par ses Petites Sœurs à travers le monde.

Sans cesse elle se réfère à Charles de Foucauld (Frère Charles de Jésus) dont elle se veut le disciple au point de le considérer comme le père et le fondateur de la Fraternité des Petites Sœurs.

En méditant les pages qui suivent, vous ferez la connaissance de P.S. Magdeleine puisque vous y trouverez évoqués quelques événements, grands et petits, de sa vie, qui permettent de situer tel texte ou tel propos.

Mais ce sont surtout ses écrits qui vous sont offerts chaque jour. À dessein, je les ai multipliés, réduisant la part de mon commentaire. Aucun lecteur, je pense, ne s'en plaindra car, en ouvrant ce petit livre, ce n'est pas avec moi qu'il désire prier, même si je puis y aider.

P.S. Magdeleine a beaucoup écrit. Sur toutes les routes du monde, de tous les pays visités, elle adressait des lettres à ses Petites Sœurs, faisant part de ses impressions ou développant quelque point important de la spiritualité de la Fraternité. D'autres fois, ses propos ont été recueillis dans des réunions avec les Petites Sœurs et ils ont toute la simplicité vivante de la parole. Dans tous les cas, c'est aux Petites Sœurs qu'elle s'adresse et il est impossible d'en faire abstraction. Les lectrices et les lecteurs qui ne sont pas religieux sauront adapter à leur vie la pensée de P.S. Magdeleine d'autant plus aisément que les destinataires vivent elles-mêmes en plein monde, dans la condition « *ordinaire* » qui fut celle de Nazareth.

*
* *

Pour le choix des thèmes de ces quinze jours, nous nous sommes inspirés d'un tableau où, de façon schématique, P.S. Magdeleine condense l'idéal de la Fraternité, telle qu'elle désirait le présenter, dès 1941, à celles qui cherchaient à s'informer.

Tout est centré sur Jésus, le modèle unique (1er jour) et c'est en le suivant depuis la crèche de Bethléem jusqu'au Calvaire et à la résurrection, qu'est proposée cette retraite. À chaque étape, que pouvons-nous déduire pour notre imitation de Jésus ? Dans presque chacun des chapitres, vous découvrirez des mots-clés qui vous aideront à unifier votre méditation.

Dès le 2e jour, on aborde une orientation très chère à P.S. Magdeleine, à partir de la contemplation du Tout-Petit de la crèche. Notre réflexion et notre prière à ce sujet pourront se compléter avec le 12e jour, consacré à Notre Dame.

La vie de Jésus à Nazareth (3e jour) nous inspirera surtout la solidarité avec le monde des pauvres.

Le 4e jour, qui nous emmène sur les routes de Galilée, convient tout à fait à P.S. Magdeleine qui n'a pas cessé de sillonner l'univers : avec elle, nous essayerons de discerner la volonté du Seigneur à travers les événements.

À Cana, le 5e jour, épisode où Jésus se montre si *« humain »*, P.S. Magdeleine répète *« Tu seras humaine et chrétienne avant d'être religieuse » :* humaine dans la compassion et l'amitié.

Au 6e jour, nous sommes invités à *« prêcher l'Évangile par notre vie »* et non par le discours.

Les 7e, 8e et 9e jours sont centrés sur la charité fraternelle, le respect et la délicatesse à manifester envers les plus pauvres, en particulier les exclus, avec la conviction que *« tout homme est mon frère »*. On retrouve aussi ce thème au 11e jour qui cherche à éliminer de nos esprits tout sentiment de supériorité.

Le 10e jour nous aide à prier, à la suite de Jésus, soit au milieu du monde, soit dans la solitude.

L'Eucharistie évoquée ici l'est aussi les trois derniers jours.

Le 13e jour, contemplant la Passion et la mort de Jésus, P.S. Magdeleine répond à la question : qu'est-ce que l'immolation ?

Le 14e jour célèbre la résurrection en nous parlant de la joie.

Le 15e jour est consacré à l'Église. Si nous croyons à la présence du Christ dans son Église, qu'est-ce que cela entraîne pour nous, en particulier pour l'obéissance.

*
* *

Il est évident que je ne me serais pas lancé dans l'aventure de ce petit livre, malgré ma vénération pour P.S. Magdeleine, si je n'avais pu m'appuyer sur la collaboration compétente et constante de trois Petites Sœurs, que je ne nomme pas, bien qu'elles ne soient plus en âge d'en rougir, mais que je remercie de tout cœur.

Si, ayant terminé votre lecture, vous avez envie de mieux connaître P.S. Magdeleine et ses Petites Sœurs, j'en serais très heureux, et, encore davantage, si vous ajoutez une petite prière pour moi.

MICHEL LAFON
Rome, décembre 1997

# SIGLES

| | |
|---|---|
| **SME** | Du Sahara au monde entier |
| **BMA** | D'un bout du monde à l'autre |
| **BV** | Bulletin vert (1945) |
| **R** | Règle de vie (1983) |

Pour les quatre livres ci-dessus, le chiffre qui suit le sigle est celui de la page.

**N** Notes personnelles inédites de P.S. Magdeleine.

**I** ou **II, III, IV, V, VI, VII, VIII, IX**

Lettres à l'usage interne de la Fraternité des Petites Sœurs :
Le chiffre romain indique le volume, suivi du chiffre de la page.
Exemple : III 67, c'est-à-dire volume III, page 67.

Généralement, quand P.S. Magdeleine s'adresse au Seigneur, elle emploie le tu, rarement le vous. Pour harmoniser, toutes les phrases ont été mises à la 2e personne du singulier.

Au cours de ce livre, on appelle « Frère Charles » celui qui est plus connu sous le nom de père de Foucauld.

On trouve très souvent des points de suspension dans les écrits de P.S. Magdeleine (comme dans ceux de Frère Charles) : ils ne signifient pas, en général, de coupure dans le texte.

# À LA SUITE DE JÉSUS, NOTRE MODÈLE UNIQUE

« Je suis le chemin, la vérité, la vie » (Jn 14,6)

*Le Petit Frère Charles de Jésus n'a ouvert aucune voie nouvelle, si ce n'est la voie unique, la voie de Jésus. Il a choisi un* ***Modèle Unique : Jésus*** *– un seul Chef, un seul Maître : Jésus. Il te dira de n'avoir qu'une pensée, un amour, un désir : Jésus. Il te dira qu'une seule chose est nécessaire : aimer Jésus.*
*Il te dira de « marcher, les pas dans les traces de Ses pas », « la main dans Sa main » – de « vivre Sa vie » – de « reproduire amoureusement en toi Ses traits ». Il te demandera, avec Sa grâce, de te laisser pénétrer profondément de Son Esprit…* (BV 28).

*Et* ***Jésus*** *deviendra la* ***passion unique de ta vie****, comme elle a été celle du Petit Frère Charles de Jésus. Son amour immense, résumé dans sa devise : « Jesus-Caritas – Jésus-Amour » t'identifiera au Christ-Jésus, au point de ne plus faire qu'un avec Lui : Lui en toi et toi en Lui, et tu pourras dire avec l'Apôtre : « Ce n'est plus moi qui vis, c'est le Christ qui vit en moi. » (Ga 2,20)* (BV 32).

*Jésus, pour le posséder, il n'y a qu'à se donner à Lui, les yeux fermés!*
*Il ne faut pas essayer de comprendre. C'est un mystère d'amour. Si l'on essayait de le creuser, on s'agiterait, on aurait peur de ne pas être digne, de ne pas assez correspondre, on voudrait y mettre du sien. Ce n'est pas cela qu'Il veut. Il veut qu'on se livre... les yeux fermés!* (N, 1940).

*Si un Dieu s'est donné la peine de parler c'est pour qu'on vive de ses paroles [...]. On s'accoutume aux plus merveilleuses choses. Si Dieu n'avait pas encore parlé et que nous apprenions qu'il va envoyer au monde un message... avec quelle émotion nous le recevrions!.. Nous avons l'Évangile qui est une mine inépuisable et nous le lisons distraitement. Ses paroles pénètrent à peine notre âme et la preuve, c'est que nous n'en vivons pas* (1942, I 147).

*Lisez et relisez l'Évangile. Méditez-le et reméditez-le jusqu'à le savoir par cœur [...]. Soyez-en au moins aussi fières que les musulmans le sont du Coran... et ce n'est pas peu dire!.. Et vous verrez alors comme cette formation vous simplifiera, vous transformera* (ibid.).

On peut résumer ces textes par cette formule : « *Notre spiritualité est d'une merveilleuse simplicité, entièrement centrée sur la personne de Jésus et sur l'Évangile. Ce n'est pas seulement une doctrine, c'est une vie* » (I 152). Évidemment, P.S. Magdeleine s'adresse à ses Petites Sœurs, mais tout chrétien ne doit-il pas être passionné par la volonté d'écouter Jésus, de suivre Jésus, de vivre de sa vie? Saint Paul ne présente-t-il pas l'idéal de tout chrétien quand il s'exclame: « Ce n'est plus moi qui vis, c'est le Christ qui vit en moi »?

Cette passion ne va-t-elle pas estomper l'amour que je porte aux miens, à ma famille, aux proches? Que réponds-tu, P.S. Magdeleine? *« Il ne te sera pas demandé au nom de l'amour du Christ, de te détacher de l'amour des tiens. Il te sera dit, au contraire, que le quatrième commandement étant de droit naturel comme de droit divin, aucune règle religieuse ne pouvait ni le remplacer ni l'abolir et que tes parents resteraient donc toujours, après Jésus, le plus tendre objet de ton affection... Il te sera dit aussi que l'amitié humaine, lorsqu'elle est droite et pure, est trop belle pour être détruite ou diminuée, et qu'il te fallait même – tout en la transformant et en la purifiant – la faire grandir dans l'amour du Christ qui a incarné tout l'idéal de l'amitié »* (BV 21).

Sans doute, dans notre vie, est-il de temps en temps nécessaire de nous « déshabituer » de manières de penser et de vivre qui ne sont pas celles de l'Évangile? Il faut nous renouveler. *« Il faut que nous construisions du neuf! du neuf qui est de l'ancien, de tout l'authentique christianisme des disciples du Christ. Il faut, mot à mot, reprendre l'Évangile »* (1949, SME 340). Seigneur, fais que je devienne une « âme d'Évangile »!

Dois-je attendre seulement le dimanche pour retrouver l'Évangile? Est-ce vraiment impossible d'en relire une page tel autre jour? Si je l'aborde d'un regard neuf, des phrases, auxquelles je suis tellement accoutumé, prendront davantage de relief et *« le Seigneur Jésus deviendra pour (moi) une personne vivante»*. Il ne sera plus un personnage du passé mais quelqu'un qui me parle aujourd'hui. Et je m'efforcerai alors de *« vivre le regard et le cœur fixés sur Jésus dans une attitude intérieure qui (m') amènera peu à peu à une très grande intimité avec Lui »* (R 4).

Au moment de l'examen de conscience, au lieu de passer en revue mes activités et mes sentiments comme on dresse un bilan, je me tournerai d'abord vers Jésus et je placerai tout sous son regard, et je me demanderai : *« Est-il vraiment mon Bien-Aimé Frère et Seigneur ? Quelle place tient-il dans ma vie ? Me préoccupe-t-il suffisamment au long du jour ? Est-ce que je pense à converser avec lui comme avec l'ami le plus cher, passionnément aimé ? »* (1979, VI 158).

Ayant devant moi « le Modèle Unique », je chercherai à l'imiter en toutes choses, puisque c'est *« à Lui que j'ai voué mon cœur »*. Chaque jour, je l'entendrai me répéter « Suis-moi ». Comment vais-je aimer ceux que tu places sur ma route sinon comme toi, puisqu'ils sont tes frères ? Comment vais-je prier, sinon comme toi, puisque ton Père est notre Père ? comment vais-je souffrir sinon comme toi, qui nous apprends à porter notre croix à ta suite ? Et sans cesse me viendront sur les lèvres ces questions : Seigneur Jésus, que penserais-tu, que dirais-tu, que ferais-tu à ma place ?

Et puis, à l'heure de l'épreuve ou au soir de découragement, puisse ma foi demeurer inébranlable ! Même si je ne sens pas sa présence, je garde la certitude que le Seigneur est là : *« Lui !.. Il est là ! Qu'importe, si autour de soi tout croule, s'il ne reste plus aucun appui humain en qui on puisse mettre sa confiance, Lui, Il est là ! Qu'importent les souffrances les plus cruelles du cœur et de l'âme, tant qu'Il est là!.. Lui, Il est l'Immuable, le Tout-Puissant, Il est la Bonté, la Douceur, la Miséricorde… Lui, Il est l'Amour»* (N, 1940).

Dieu est Amour, proclame saint Jean (1 Jn 4) et c'est parce qu'Il est Amour qu'Il est Trinité.

Seigneur Jésus, *«tu m'as conduite vers Ton Père qui est mon Père, qui est notre Père […]. Je ne sais que dire que je suis son enfant, sa créature, et que, plus que jamais, je voudrais m'abîmer dans l'adoration, près de Toi, Jésus, par Toi, mais pour aller au Père. Et cela fera ton bonheur car rien ne t'est plus cher que la gloire de ton Père […].*

*Et j'ai compris… que Jésus était la Voie, était le Verbe, que tout ne s'arrêtait pas à Lui, qu'Il n'était pas seul, le Centre, mais qu'Il faisait partie d'une Trinité divine dans laquelle Il m'avait fait entrer en me conduisant par la main, par sa main de tout petit enfant»* (N, 1946).

# COMME JÉSUS À BETHLÉEM, PETIT ENFANT

« Vous trouverez un nouveau-né
couché dans une crèche » (Lc 2,12)

*Le tout petit Jésus de Bethléem, c'est lui qui manque au monde. Quand on l'aura trouvé, on aura trouvé la douceur et la petitesse et l'amour... L'orgueil se brisera devant le tableau de la crèche beaucoup plus que devant l'atelier de Nazareth ou en face du calvaire. Il faut tellement se pencher pour comprendre et aimer un tout petit enfant...* (1950, II 67).

*Il ne faut pas que le message de la crèche soit réservé au seul temps de Noël, pas plus que celui de la croix n'est réservé au seul temps de la Semaine Sainte. Et je dis combien j'avais été frappée qu'après une première réaction d'étonnement, les prêtres ou religieux à qui j'avais parlé du message de Noël reconnaissaient qu'étant un message de pauvreté, de simplicité et de joie, il était actuel toute l'année* (1957, III 49).

*N'écoutez pas ceux que choque la spiritualité de la crèche telle qu'ils la pensent vécue chez les Petites Sœurs de Jésus. Non, notre amour pour le Tout Petit n'est pas synonyme de sensiblerie ni d'enfantillage [...].*

*N'écoutez pas ceux qui voudraient réserver cette dévotion aux enfants. Ce serait comme si, dans une famille, un petit nouveau-né ne pourrait intéresser que les plus jeunes de ses frères et sœurs et qu'il faille que les grands attendent qu'il soit devenu adulte pour le contempler, pour l'admirer et pour l'aimer...* (1966, IV 131).

*Regarde la Crèche [...]. Qu'elle t'évoque seulement Celui qui est ton Dieu et qui t'appelle à sa suite, à cet* ***esprit d'enfance*** *et* ***d'abandon****. Qu'avec Lui, tu aies envers Dieu l'attitude confiante du tout petit enfant. Qu'avec Lui, tu aies envers la Vierge Marie, Sa Mère, ce tendre abandon et cette exigence du tout petit qui a besoin d'une maman à son berceau. C'est si douloureux un berceau sur lequel une mère ne s'est pas penchée...* (BV 37).

On ne peut aborder les écrits de P.S. Magdeleine sans se rendre immédiatement compte que « *la spiritualité de la crèche* » tient une place primordiale dans le message qu'elle lègue à ses Petites Sœurs, et même à tous les chrétiens de notre temps. « *Jésus tout petit est devenu notre modèle* », répétait-elle. « *Le clamer et le faire aimer d'un bout du monde à l'autre, c'est une partie de ma mission sur la terre* » (1977, V 531).

Cette contemplation de « *la crèche du Tout Petit* » doit se prolonger au-delà du temps liturgique de Noël. C'est pourquoi demandait-elle à ses Petites Sœurs que l'image de l'Enfant Jésus reste présente toute l'année dans les oratoires de leurs fraternités. Elle fait d'ailleurs remarquer que « *le Christ en croix reste présent dans toutes les églises pendant le temps de l'Avent, de Noël... et même pendant le temps pascal, bien qu'il soit ressuscité»* (ibid.).

Écouter P.S. Magdeleine, c'est se mettre intérieurement dans l'attitude de celui qui reçoit des mains de Marie le tout petit Jésus pour le porter au monde. C'est ce que la fondatrice attend de ses Petites Sœurs et ce qu'elle appelle *«la marque de fabrique de la Fraternité». «C'est ce tout petit Jésus, reçu des mains de la Vierge Marie, sa Mère, que tu porteras à travers le monde avec la conviction que le message de la Crèche, dans son mystère de pauvreté, de douceur et de réconciliation, lui donnera la paix, l'espérance et la joie dont il a soif»* (R 165).

*
* *

Que découvrons-nous dans cette contemplation du Tout-Petit de la crèche ? Avons-nous bien entendu son appel ? *«Il nous crie abandon, docilité... Il nous crie confiance... douceur et paix... Il nous crie humilité, pauvreté. Il nous crie tendresse... pour tous les humains. Il ouvre ses bras à l'univers tout entier mais d'abord aux petits, aux humbles»* (III 370-371).

Mais, en insistant tellement sur l'abandon et la docilité, ne crois-tu pas, P.S. Magdeleine, que tu vas faire de tes Petites Sœurs des marionnettes sans personnalité ? *«L'enfance spirituelle,* me réponds-tu, *ne te demande pas de détruire ta personnalité ni de renoncer à ton jugement mais de les soumettre à la Volonté de Dieu dans la confiance joyeuse du petit enfant qui marche sans peur sur les chemins les plus difficiles, la main dans la main de son père, parce qu'il sait bien qu'avec lui, il ne peut craindre aucun mal»* (R 20).

Avons-nous compris cet esprit d'enfance spirituelle, même s'il est *« déconcertant pour la raison » ?* Il n'a rien à voir avec l'infantilisme. *« Ce n'est pas avec cette caricature d'enfantillages de petites filles qu'il faut le confondre et qui lui est diamétralement opposé. D'ailleurs la loi des contrastes joue là plus que partout. Il faut être grand afin de pouvoir, sans danger, être totalement enfant, comme il faut être fort pour être infiniment doux, et être sage pour se permettre d'être fou »* (1950, II 28). La conclusion qui s'impose est que l'enfance spirituelle se présente comme *« éminemment virile »* (I 162). Seigneur Jésus, change mon cœur en un cœur d'enfant, toi qui as déclaré : « Si vous ne changez pas et ne devenez comme de petits enfants, vous n'entrerez pas dans le Royaume des cieux » (Mt 18,3).

Une autre « loi » se dégage de ce mystère de Bethléem, une « manière de faire » divine tout opposée à l'échelle de valeurs admise comme naturelle : l'œuvre de Dieu s'accomplit dans la faiblesse humaine et de façon d'autant plus éclatante que cette faiblesse s'avère criante. En ce qui la concerne, P.S. Magdeleine a cent fois répété que la fondation avait été de façon évidente *« l'œuvre de Dieu »*. Au moment où se décident sa vocation et son départ pour l'Algérie, le prêtre de Nantes qui la guide lui déclare : « C'est parce qu'humainement, vous n'êtes plus capable de rien que je vous dis avec tant d'assurance qu'il vous faut partir parce qu'au moins si vous faites quelque chose, ce sera bien le bon Dieu qui aura tout fait, car, sans lui, vous ne pouvez rien faire, rien, absolument rien ». Et P.S. Magdeleine de conclure : *« Toute la fondation repose sur cette parole prophétique »* (SME 13). Et treize ans plus tard, elle reconnaît : *« C'est son œuvre à Lui, je n'ai fait que suivre et lorsqu'on me regardait avec frayeur marcher si vite, c'est qu'Il m'entraînait à son rythme qui était folie aux yeux du monde. Et lorsqu'on me condamnait, et lorsqu'on me raillait et lorsque je le suppliais moi-même d'arrêter parce que je tombais de fatigue sur le chemin, il accélérait encore son rythme comme pour défier toute prudence humaine»* (1949, SME 351).

Si la contemplation du mystère de Bethléem suscite en nous l'enfance spirituelle, notre regard ne doit pas s'arrêter à la faiblesse et à la petitesse de l'enfant de la crèche : sous les apparences, émerveillons-nous de découvrir *«toute la grandeur cachée»*. *«Dans ce petit nouveau-né, qui porte en lui-même une plénitude de vie, tu contempleras le Fils de Dieu fait homme, la Parole vivante du Père…»* (R 186). Allons plus loin : cette nativité marque le commencement d'une invraisemblable déclaration d'amour qui aboutira à la croix. *«Par un excès d'amour, le Christ, Fils de Dieu, a voulu passer par l'état d'impuissance du tout petit enfant, le seul état qui mette un être entre les mains des autres, dans un total abandon»* (BV 36). Derrière ce Tout-Petit, *«se profile tout Jésus : Jésus artisan de Nazareth… Jésus, sur les routes, vivant dans la contemplation de son Père tout en demeurant proche de la souffrance des hommes… Jésus offrant sa vie à l'immolation pour la rédemption du monde… Jésus ressuscité dans la gloire de la Sainte Trinité…»* (V 531).

Puisque *«c'est Noël chaque jour»*, je m'approche de toi, Seigneur Jésus, en me glissant parmi les bergers et les mages. Comment aurais-je peur du Tout-Puissant puisqu'il m'apparaît dans ce nouveau-né si petit et si faible ? Dans la joie et la confiance, je me répète, Seigneur, que, si tu accomplis cela, c'est par un « excès d'amour » pour moi, pour nous tous. Donne-moi, je t'en prie, *« pour vivre ce mystère »*, *« un cœur à la fois humble et fort, une intelligence lucide et largement ouverte aux réalités du monde »* (BV 20). Et façonne en moi, avec ton infinie patience, un cœur d'enfant !

# AVEC JÉSUS, PARTAGEANT LA VIE DE NAZARETH

«N'est-ce pas le charpentier?» (Mc 6,3)

*Ce matin, à la messe, j'ai été de nouveau tellement frappée non seulement de la place que le* ***tout petit Jésus****, mais aussi que* ***Jésus de Nazareth*** *devait prendre chez nous, si nous voulions être de vraies filles du Frère Charles!.. Or, tout Nazareth se résume en cette phrase de l'Évangile, si brève mais si pleine: Il leur était soumis [...]. Voyez-vous l'héroïsme constant que devait exiger cette soumission? Et Jésus a vécu cela pendant trente ans. Vous imaginez-vous ce que représentent trente ans!.. Avec amour, il a fait la volonté de son Père du ciel en faisant celle de son père de la terre, de celui qui avait été choisi pour remplir ce rôle* (1942, I 132).

*Après dix ans, après vingt ans, après cent ans, je vous en supplie, restez pauvres, de plus en plus pauvres et, pour ne pas l'oublier, regardez l'atelier de Nazareth où pendant trente ans, le Seigneur, dans un besoin d'amour plus grand, a oublié la splendeur divine pour s'incarner en prenant la condition humaine d'un humble ouvrier [...].*

Éditions Nouvelle Cité
37, avenue de la Marne
F-92120 MONTROUGE

*Aimez par-dessus tout les pauvres, ceux qu'on méprise et qui sont pourtant la plus vivante incarnation du Christ [...]. Le Seigneur a un amour de prédilection pour les petits et pour les pauvres...* (1949, I 490).

*À l'exemple de Jésus à Nazareth, (les Petites Sœurs) vivront mêlées à la masse humaine comme un levain dans la pâte, se faisant toutes à tous et véritablement l'une d'entre eux : Arabe au milieu des Arabes, nomade au milieu des nomades, ouvrière au milieu des ouvriers... et, avant tout, humaine au milieu des humains* (R 11).

Pourquoi P.S. Magdeleine répète-t-elle « *restez pauvres* » ? Pour que, à travers le monde, partout où elles vivent, les Petites Sœurs soient proches des pauvres.

Approuvé par Rome dès les premières années, son idéal rencontra de « *l'incompréhension dans les milieux ecclésiastiques et religieux* », « *et cela non pas tant à cause de notre désir d'être pauvres mais de notre désir de l'être "socialement", à l'égal des plus pauvres travailleurs manuels. Je lui (au Pape) ai dit combien j'étais malheureuse d'entendre toujours parler de "dignité religieuse". Ce n'était pas "digne" d'une religieuse de porter des sacs sur le dos, de voyager comme les pauvres gens dans la cale des bateaux, d'être soignés en salle commune comme les indigents* » (1963, III 451-452). Toi, Seigneur, tu n'as revendiqué d'autre dignité que celle de serviteur ! Toi, tu as choisi le travail de charpentier ! « *Jésus, si tu ne voulais pas la pauvreté pour nous, alors, il ne fallait pas naître dans une crèche, il ne fallait pas vivre comme le plus petit des artisans, toi Dieu, il ne fallait pas mourir sur une croix»* (N, 1944). Mais nous savons que la pauvreté n'a pas de valeur en elle-même : ce qui compte c'est l'amour. *«Est-ce la pauvreté ou l'amour qui est prépondérant dans l'idéal de l'Évangile?»* (II 34).

Trop souvent, un fossé sépare le monde des riches de celui des pauvres, comme nous le montre Jésus dans la parabole du pauvre Lazare, qui gisait délaissé auprès du portail d'un riche insensible (Lc 16,19ss).

Voilà donc des Petites Sœurs travaillant dans l'atelier de confection d'une grande cité industrielle ou vivant au cœur de la forêt amazonienne parmi une tribu d'Indiens. Invitées à être pleinement de ce milieu ou de ce peuple, *«elles ne sont ni un pont ni un trait d'union entre deux classes»* (II 124). L'affirmer, n'est-ce pas, P.S. Magdeleine, contradictoire avec ton désir de charité universelle? *«Je voudrais*, me réponds-tu, *que les Petites Sœurs sachent rester à leur place dans le milieu qu'elles ont choisi... Elles se feront (par exemple) Tapirapés pour, de là, aller aux autres Indiens et les aimer. Mais elles resteront toujours des Tapirapés, qui aimeront les Caiapos»* qui autrefois les décimèrent (1952, II 124, 263).

C'est pourquoi, tout chrétien, pleinement de son milieu et de sa patrie, tranchera souvent sur ceux qui l'entourent. Son amour des autres débordera toutes les limitations, tous les préjugés et les haines, que l'on partage couramment autour de lui. Tout en étant l'un d'entre eux, là où il vit, il se comportera en «frère universel», et cela provoquera des incompréhensions qu'il faudra accepter. Jésus nous en avertit : «Malheur à vous, quand tout le monde dira du bien de vous! C'est de cette manière en effet que leurs pères traitaient les faux prophètes!» (Lc 6,26). Seigneur Jésus, accorde-moi le courage de savoir affirmer mes convictions et vivre en conséquence, afin que transparaisse à travers moi ton amour pour tous les êtres humains!

Ce courage m'entraîne à lutter contre l'injustice: c'est un impérieux devoir car, comme le dit P.S. Magdeleine, *«si vous voyez une injustice à côté de vous et que vous restez indifférentes, vous avez manqué vous aussi à la justice»* (V 17). Seigneur, fais que je ne sois jamais indifférent à «la clameur des pauvres»! Qu'elle retentisse dans mon existence! Que ces consignes du Pape Paul VI (*Le Renouveau de la vie religieuse* n° 18, 1971), que P.S. Magdeleine faisait siennes, deviennent ma ligne de conduite: «Ce cri des pauvres doit vous interdire tout d'abord ce qui serait compromission avec toute forme d'injustice sociale. Il vous oblige aussi à éveiller les consciences au drame de la misère et aux exigences de la justice sociale» (cf. R 33). Non, un chrétien ne peut se taire *«devant l'injustice ou l'oppression, quelle qu'en soit la provenance»*. Non, nous ne pouvons être ces «sentinelles endormies» ou ces «chiens muets», que dénonçait déjà Frère Charles, il y a près de cent ans! (ibid.).

En de multiples occasions, P.S. Magdeleine insiste sur cette obligation: *«Il faut prendre parti avec force pour le pauvre, pour celui qui est écrasé, méprisé, mais jamais avec violence contre quiconque. Violence contre le mal, contre l'écrasement des pauvres par les riches, mais jamais violence contre les riches. Cela c'est notre position absolue»* (1972, IV 548). Puisse mon cœur unir la passion pour la justice à celle de l'unité dans l'amour!

Notre vie de tous les jours, aux multiples tâches, est grande puisque Jésus l'a vécue dans son village de Nazareth. *« L'extraordinairement simple »* de cette vie ne peut nous cacher qu'il s'agit là d'un *« grand idéal d'une sainteté humaine »*, que P.S. Magdeleine souhaitait tellement pour ses Petites Sœurs, et, à travers elles, pour tous les chrétiens aussi : *« Je voudrais qu'elles fixent leurs yeux et leur cœur sur la vie si simple de Jésus pour leur enlever à tout jamais le goût de l'extraordinaire, si ce n'est de l'extraordinairement simple, où il ne peut y avoir de recherche de soi-même parce que rien ne frappe l'imagination »* (1943, I 194). Puisque le Christ vit en nous, quelle portée donne cette présence à nos tâches professionnelles et à nos rencontres ! *« Les contacts de la vie quotidienne te permettent de porter, à tous ceux qui t'entourent, Jésus invisiblement présent en toi, comme le fit la Vierge de la Visitation »* (R 216).

Seigneur Jésus, c'est toi qui vis en moi, c'est toi qui agis par moi, à travers mon sourire et mon accueil, à travers mon travail et mon service. Que les mille paroles et actions de ma vie quotidienne manifestent ce que tu veux faire, ce que tu veux dire par moi. Rends-moi transparent, Seigneur ! Et fais que je sois celui que tu veux être par moi !

# AVEC JÉSUS, SUR LES ROUTES DE GALILÉE

« Le Fils de l'homme n'a pas où reposer sa tête »
(Mt 8,20)

*Les Petites Sœurs de Jésus demandent qu'il leur soit permis de vivre en pleine pâte humaine, mêlées à tous, semblables à tous, mais en gardant un idéal de vie contemplative aussi intense et profonde que possible, comme Jésus dans son atelier de Nazareth, comme Jésus sur les routes de sa vie publique* (Supplique à Pie XII, 1947, SME 405).

*Que ces mots de vocation contemplative, de contemplation, ne t'effraient pas. Qu'ils n'évoquent pas à tes yeux l'idée d'une vocation exceptionnelle, de quelque chose de tellement élevé que la plupart des hommes ne puissent y accéder.*
*À la lumière du Frère Charles de Jésus, qu'ils t'évoquent l'attitude toute simple, toute confiante, toute aimante de l'âme en conversation intime avec Jésus, les tendresses d'un petit enfant pour son père, les épanchements d'un ami pour son ami* (BV 25).

*Pour que ton désir de subordonner toujours les règles de la clôture et du silence aux devoirs plus grands pour toi de l'hospitalité et de la charité, ne disperse pas toutes les forces de ton âme, pour que tu restes unie à Jésus dans le recueillement de l'amour, il faudra qu'au milieu du monde, tu pratiques l'esprit de silence et de recueillement, t'efforçant avant tout de garder le* ***silence intérieur*** (BV 24).

***Jésus est le Maître de l'impossible****... Est-ce que vous y croyez, vous qui dites si souvent: « C'est impossible » ? Quand j'entends cela, je réponds toujours: « C'est justement parce que c'était impossible que cela est devenu l'œuvre de Dieu... ». Croyez-vous que, sans Lui, il me serait possible depuis douze ans, de traverser les pays de l'Est – 15 000 km cette année – malade comme je suis, et d'obtenir si facilement nos visas, sans difficulté réelle sur notre route ?..* (1969, IV 285).

Aux premiers temps de sa vocation à la suite de Frère Charles, P.S. Magdeleine envisageait une vie de nomade parmi les nomades du Sahara. Au long des années, elle n'a cessé de réaliser ce projet de nomadisme, mais dans un cadre et des conditions tout à fait différents de ce qu'elle avait rêvé. Utilisant tous les moyens de transport, elle accomplit son « *tour du monde* » de 1953-1954 pour semer partout des petites fraternités. Ensuite, chaque année, c'est au-delà du « rideau de fer » que lui deviennent familières les routes qu'elle sillonne dans son « *Étoile filante* », camionnette équipée en « camping », où elle avait obtenu la permission de garder le Saint Sacrement. Les pistes de Galilée, où elle s'est mise à la suite de Jésus, sont devenues les chemins du monde ! *« Si vous saviez comme j'aime la route,* confie-t-elle en 1976. *Toute ma vie n'a été qu'une route d'un bout du monde à l'autre* » (IV 365).

Quant à nous, nos routes quotidiennes ne couvrent pas l'univers et notre horizon se limite à celui du travail ou du voisinage. Mais si chacun de nous jette un regard sur le déroulement des années passées, il ne peut que constater combien notre vie a été marquée par des événements, grands et petits, par des rencontres, voire par des problèmes de santé… Oui, les événements sont nos maîtres : ne sont-ils pas signe de la volonté de Dieu ? « *C'est ma voie personnelle*, dit P.S. Magdeleine, *de me mettre sur la route et de me laisser faire* » (VI 42).

Nous « laisser faire » par les événements quotidiens, quel programme ! À condition de savoir y discerner la volonté de Dieu qu'ils signifient. Le Frère Charles compare notre disponibilité à celle du flocon d'écume ou de la feuille sèche portée par le vent. Et P.S. Magdeleine souhaite que ses Petites Sœurs soient « *légères comme des bulles* ». « *Que de souplesse il faut pour s'adapter aux circonstances si changeantes de la vie. On a décidé de suivre tel règlement, le lendemain un imprévu démolit tous vos beaux projets… Si vous n'êtes pas souples, c'est que vous n'aurez rien compris à ce que je désire au-dessus de tout : l'obéissance dans l'abandon, dans l'amour et dans la douceur* » (1942, I 117). Elle-même explique sa « méthode » pour se laisser guider par les événements providentiels : « *Je mets un projet en train et j'attends que (le Seigneur) me fasse voir s'Il le veut ou non. J'attends… et je ne puis pas mieux me comparer qu'à la girouette au-dessus d'un toit… à une girouette qui veut être le plus sensible qui soit au moindre vent du Seigneur. C'est pour cela que je suis un peu ennuyeuse pour les humains... mais je crois que c'est Lui qui le permet»* (1949, I 467).

Dans cet esprit, ne dois-je pas tendre de mon mieux à adhérer à ce que l'on appelle «la prière d'abandon» du Frère Charles ? Surtout si l'on sait que, pour son auteur, elle essaye de représenter l'attitude intérieure essentielle du Seigneur Jésus, notre modèle unique, au moment où il remet son esprit à son Père (cf. *Prier 15 jours avec Charles de Foucauld*, pp. 107ss) : «Mon Père, je m'abandonne à Toi, fais de moi ce qu'il Te plaira. Quoi que tu fasses de moi, je te remercie, je suis prêt à tout, j'accepte tout. Pourvu que Ta volonté se fasse en moi, en toutes tes créatures, je ne désire rien d'autre, mon Dieu... »

Jusqu'à la fin de sa vie, P.S. Magdeleine continue à parcourir les routes du monde, tantôt en Europe de l'Est, et même jusqu'en Chine (1979), tantôt simplement pour se rendre de la Fraternité Générale de Tre Fontane (Rome) à la Maison-mère du Tubet (Aix-en-Provence). Dans cette vie itinérante et bousculée, elle porte un grand désir : celui de se retrouver seule avec Jésus. C'est ainsi qu'au terme d'un bref séjour de repos, elle note dans son carnet : *« C'était ce que j'attendais, non pour me reposer mais pour être avec Toi, Seigneur, avec Toi, tout seul, comme Marie à Béthanie... Personne n'a encore compris cela, notre secret à deux. Personne n'a compris que c'était pour un plus grand amour que j'étais sur les routes et au milieu du monde, mais que je rêvais à cette solitude qu'au milieu du monde je portais au fond de l'âme, délicieuse solitude peuplée par Toi, Seigneur»* (N, 1946).

Les événements qui, parfois, nous déconcertent tant, ne sont-ils pas l'appel à «une foi à transporter les montagnes » ? Bien concrètement, pour P.S. Magdeleine, la maxime « Jésus est le maître de l'impossible » régit son comportement. Elle en fait une devise du Frère Charles et une source d'espérance face à tous les pessimismes. Elle reconnaît même que ce mot « impossible » a toujours été pour elle *« le meilleur des stimulants »*.

Elle exhorte ses sœurs : *« N'ayez pas peur. Ne restez pas sur des constatations qui vous démoliraient… Le Seigneur est avec vous. Demandez-lui une foi à transporter les montagnes et à déraciner les rochers, reposant sur sa Puissance et sur son Amour… mais avec une totale défiance de vous-mêmes découlant d'une vraie connaissance de soi, avec cette foi humble qui touche toujours le Cœur du Seigneur… Dites-lui souvent : « Je ne suis rien mais tu es tout. Je n'ai rien mais tu possèdes tout. Je ne puis rien, mais tu peux tout. Ce que je te demande aujourd'hui est autrement plus facile que de transporter une montagne et tu as promis de l'accorder en récompense à une foi grosse comme un grain de sénevé » (cf. Mt 17,20) »* (1949, I 489).

# À CANA, AVEC JÉSUS PARTAGEANT LES JOIES HUMAINES

« Il y eut des noces et Jésus y fut invité » (Jn 2,1-2)

*Rappelez-vous ce que je vous ai dit si souvent en vous parlant de la Sainte Vierge [...]. Je vous souhaitais de la regarder pour mieux comprendre votre rôle de femme qui doit être si discrètement effacé et réservé quand on n'a pas besoin de vous, mais qui doit savoir se mettre aussitôt en avant, comme Marie aux noces de Cana, quand on a besoin de votre intervention... Une femme voit mieux ce qui manque aux autres... et aussi, pour être, comme elle, au pied de la croix et soutenir ceux qui souffrent et ceux qui meurent...* (1953, II 257).

*Pour rendre témoignage à l'humanité sainte de Jésus, Verbe incarné, et par respect pour la nature humaine, œuvre du Créateur, tu chercheras à faire grandir en toi les vertus humaines.*
*Avant d'être religieuse, tu devras être humaine et chrétienne, dans toute la force et la beauté du terme, pour que ta vocation s'épanouisse dans un équilibre normal qui en assurera la base* (R 147).

*On ne te demandera pas, au nom de la modestie*

*religieuse, de vivre les yeux baissés mais de les ouvrir très grands pour bien voir à côté de toi toutes les misères et aussi toutes les beautés de la vie humaine et de l'univers tout entier...* (BV 21).

*Restez calmes et paisibles dans la bagarre du monde actuel. Soyez un « sourire » sur ce monde, c'est mon plus grand souhait. Je crois que je n'en trouverai pas de plus beau, car si vous souriez dans cette souffrance qui devrait nous empoigner, c'est que votre cœur est dans la paix, c'est que vous avez oublié toutes vos préoccupations personnelles pour ne plus penser qu'aux autres. C'est que le petit Jésus vous a donné un reflet de sa joie d'enfant quand il reposait, si confiant, dans les bras de la Vierge Marie, sa Mère. Souriez à tous ceux qui souffrent et dont vous voudrez prendre toutes les souffrances : aux malades, aux lépreux, aux prisonniers, à ceux qui peinent dans les usines, à ceux qui souffrent dans leur chair, dans leur cœur, dans leur âme. Si vous n'étiez que cela pour eux : le petit rayon de soleil qui entre dans une chambre sombre et glacée pour l'éclairer et la réchauffer, cela suffirait...* (1956, BMA 490).

La parution, en 1946, de ce que l'on appelle le « Bulletin vert » est aussitôt perçue comme un signe avant-coureur d'une rénovation de la vie religieuse *« qui essaie de répondre à des besoins nouveaux d'un siècle différent »* et qui s'épanouira dans l'Église après le Concile. *« Avant d'être religieuse, tu devras être humaine et chrétienne » :* c'est une des idées-forces que ne cesse de répéter P.S. Magdeleine.

Être humain, *« les yeux grands ouverts »* sur toutes les misères et les beautés de la vie, n'est-ce pas ainsi qu'a vécu Jésus parmi nous ? Aux noces de Cana, ne partageait-il pas, avec simplicité, les joies de ses amis ? Ne savait-il pas apprécier le bon vin – c'est du meilleur dont il était l'auteur ! Pardonne cette allusion, P.S. Magdeleine, toi qui demandes à tes Petites Sœurs de ne pas boire de vin. Ne traçons pas le portrait d'un Jésus distant, impassible, éthéré ! Au contraire, « qu'il est humain, qu'il est splendidement humain ! », s'exclamait le P. Peyriguère. Les yeux fixés sur lui, comment serions-nous moins humains sous prétexte d'être authentiquement « spirituels » ?

P.S. Magdeleine n'a rien inventé puisque déjà l'apôtre Paul nous donnait cette consigne : « Réjouissez-vous avec ceux qui sont dans la joie, pleurez avec ceux qui sont dans les pleurs » (Rm 12,15). Jésus lui-même n'a-t-il pas montré une profonde compassion envers ceux qui souffrent, depuis la veuve de Naïm, pleurant son fils unique, jusqu'aux « foules épuisées et abattues comme des brebis sans berger » (Lc 7,13 ; Mt 9,36) ? En mettant *« nos pas dans les traces de tes pas »,* Seigneur Jésus, nous apprendrons à être pleinement humains.

N'ai-je pas été maladroit auprès de telle famille endeuillée par la perte d'un être cher ? Attendait-elle que je lui parle du ciel ou au contraire désirait-elle sentir à quel point je partageais sa douleur ? N'ai-je pas oublié la scène où Jésus bouleversé pleure auprès du tombeau de son ami Lazare ? *« Quand on souffre,* écrit P.S. Magdeleine à propos de la mort d'une Petite Sœur, *on n'arrive pas en une seconde à un rétablissement [...]. Vous savez comme j'aime le ciel, mais il m'a semblé que (de parler de la joie du ciel) cela n'allait pas avec notre désir d'être profondément humain pour compatir avec la souffrance des parents»* (1949, I 504). Et, dans une occasion semblable, où elle reconnaît combien la mort de chaque Petite Sœur lui est *«cruelle»*, elle confie: *«Il y a plein d'espérance dans mon cœur, mais je n'ai pas pu encore chanter le Magnificat»* (1953, II 218).

Dans la *Règle de Vie,* P.S. Magdeleine passe en revue les vertus humaines, nécessaires aux Petites Sœurs. Mais puisque, justement, il s'agit de vertus «humaines», ne pouvons-nous pas, nous aussi, chrétiens laïcs ou religieux, hommes ou femmes, nous mettre à son écoute? Elle nous parle d'abord de la justice *«dont les exigences ne peuvent être compensées par l'exercice de la charité ou la recherche de la pauvreté». «La justice se traduira surtout pour toi par la solidarité avec ceux qui sont victimes d'injustices ou d'oppressions»* (R 148). On retrouve ici une application du grand principe qui sous-tend tout l'idéal religieux de P.S. Magdeleine: *«vivre avec»*, en ne *«faisant plus qu'un avec tous», «humaine avec les humains».*

Évoquant *«la fidélité à la parole donnée»* et la délicatesse en matière de *«discrétion»*, elle nous rappelle *«que si la vérité ne peut jamais se séparer de la charité, celle-ci ne saurait jamais trahir la vérité»* (ibid.). Après avoir parlé de la loyauté, de la largeur d'esprit, de la bonne humeur... etc., elle ajoute, à la suite de saint Paul (1 Co 13): *«Sans la charité, toutes les vertus humaines et tous les dons ne te serviraient à rien pour porter vraiment témoignage du message évangélique»* (R 150).

Serions-nous «humains» sans être fidèles à nos amitiés? Combien de fois, au long des années, revient ce mot d'*amitié* dans les propos ou les écrits de P.S. Magdeleine ! « *(les Petites Sœurs) considéreront l'amitié comme un véritable don de Dieu* ». Et « *elles la vivront sous le regard du Christ qui en a incarné tout l'idéal* », ajoute-t-elle, en évoquant l'amitié de Jésus pour Lazare : « Les Juifs dirent alors : Comme il l'aimait ! » (Jn 11,36) (cf. R 121-122). Et elle rappelle aussi que « *Jésus s'est reposé avec joie dans la maison de Béthanie, après ses longues randonnées. Il s'est laissé réconforter humainement. C'est cela notre voie. Être humaines le plus divinement possible… et être religieuses le plus humainement possible* » (1943, I 184). Elle précise, dans une lettre au P. Voillaume : « *Je rêve d'un amour comme je ne l'ai pas encore vu expliqué dans un livre… surtout comme je ne l'ai jamais vu recommandé dans des conseils aux religieuses […]. Je rêve qu'on puisse donner beaucoup de tendresse à tous, une tendresse qui soit si divine, tout en sortant d'un cœur humain, qu'elle n'entraîne pas fatalement au désordre des sens […]. Pourquoi, parce qu'on est religieuse, doit-on plus fermer son cœur que plus ouvrir son cœur, non seulement dans le fond mais dans l'expression. Je vous assure que le monde a besoin d'amour… Je voudrais aimer tous les humains du monde entier. Je voudrais mettre une étincelle d'amour dans chaque coin du monde* » (1947, SME 242).

Pour moi, un véritable ami est très rare. Qu'en pensestu P.S. Magdeleine ? Peut-on avoir beaucoup d'amis ? Peut-on situer l'amitié sur un plan très vaste ? Tu me réponds : « *N'ai-je donc pas le droit de donner le nom d'amis à tous ceux que j'aime tant sur terre ? Pourquoi n'arriverait-on pas à élargir son cœur pour le donner tout entier à dix, à vingt, à cent êtres humains, comme on le donnerait à un seul… aussi profondément, aussi intimement…* » (1947, SME 241). Et tu ne peux que souhaiter ardemment que, comme tes sœurs, tout chrétien soit animé de *« ce grand désir d'amitié qu'on doit avoir envers tous les êtres humains, allant à eux simplement parce qu'on les aime et qu'on voudrait le leur témoigner gratuitement, c'est-à-dire sans en attendre aucune reconnaissance ni aucun résultat, même d'apostolat…* » (BV 21). Combien mon cœur, Seigneur, a besoin d'être purifié : tant de préjugés, de timidités, de rancunes, d'égoïsme… l'empêchent de vivre cet idéal !

Si nous ne sommes pas appelés à faire un miracle comme Jésus à Cana, du moins pouvons-nous apporter de la joie autour de nous. Si au plus profond de nous-mêmes jaillit une source de joie, même au milieu de la souffrance, alors elle rayonnera. Et des tensions s'apaiseront, et le sourire deviendra contagieux. Cette joie que toi, Jésus, tu nous as promise – et « nul ne pourra nous la ravir » (Jn 16,22) – elle ne peut venir que de toi.

Un beau jour du rude hiver 1944, P.S. Magdeleine trace ce programme original : *« En voyage, j'ai pensé à un plan de formation pour les postulantes. Avant tout, leur apprendre à sourire : au bon Dieu… aux épreuves, aux gens ennuyeux, à tous ceux qui ont besoin de joie… bonne recette pour penser aux autres et non à soi… Leur apprendre à déblayer… à supprimer toutes les complications, tous les états d'âme… à vider… vider… vider… Alors seulement l'amour du bon Dieu se précipitera pour tout envahir et tout submerger* » (1944, I 232).

Mais ce *« sourire sur le monde »*, dont rêve P.S. Magdeleine, s'il est multiplié par des centaines n'accomplira-t-il pas des miracles ? Nos regards ne peuvent-ils s'illuminer des yeux qu'elle décrit ? « *N'ayez pas des yeux tristes, tout tournés sur vous-mêmes, n'ayez pas des yeux durs envers quiconque au monde [...]. Ayez des yeux tout joyeux et tout clairs que j'aimerais tant appeler des yeux de Petites Sœurs* » (1972, IV 628). Puis-je, à mon tour, en rêver pour nous tous, en les appelant « des yeux de Noël » ?

# AVEC JÉSUS ANNONÇANT LA BONNE NOUVELLE

«Vous serez mes témoins jusqu'aux extrémités de la terre» (Ac 1,8)

*Tu aimeras Jésus d'un amour sans mesure... qui ne peut se concevoir sans un besoin impérieux de conformité, de ressemblance. [...] Tu t'efforceras de Le suivre... apôtre tout au long de sa vie publique – en cheminant sur les routes du monde pour «crier l'Évangile» non seulement «par ta vie» mais aussi par tes paroles* (R 6-7).

*«Crier l'Évangile par toute sa vie», c'est essayer, à la lumière de l'Évangile, de vivre comme Jésus a vécu. C'est vivre son abandon de tout petit enfant dans sa crèche de Bethléem... sa pauvreté et sa vie tout ordinaire à Nazareth... sa vie contemplative en même temps que sa charité efficiente sur les routes de sa vie publique... son abandon à Dieu, son Père, dans les douleurs de la passion et du crucifiement...*
*C'est essayer d'aimer comme il a aimé... de vivre l'esprit des Béatitudes dans la pauvreté, la douceur, la soif de justice, la miséricorde, la pureté de cœur, la paix, la joie de souffrir persécution par amour pour le Christ* (1986, VIII 695).

*Je ne serai heureuse que lorsque j'aurai trouvé sur la surface du globe la tribu la plus incomprise, la plus méprisée, l'homme le plus pauvre pour lui dire : « Le Seigneur Jésus est ton frère et il t'a élevé jusqu'à Lui... et je viens à toi pour que tu acceptes d'être mon frère et mon ami »...* (1951, BMA 100).

*C'est vrai que j'ai toujours demandé le respect des autres croyances et des autres religions... que j'ai parlé d'amour « gratuit » qui ne cherchera pas les résultats, qui n'ira pas aux êtres pour les convertir, mais uniquement pour les aimer, pour partager leurs souffrances et leur être proche par la vie. J'ai dit qu'il ne fallait pas faire de cours officiels de catéchisme, mais je n'ai jamais dit qu'il nous était interdit d'apporter aux autres la lumière que nous avons reçue, l'amour du Seigneur dans lequel l'amour fraternel prend sa source et a tout son sens* (1953, BMA 260).

*Il est dit dans les Constitutions que les Petites Sœurs « ne se livreront à aucune activité d'apostolat organisé ». Mais il n'a jamais été dit qu'elles ne devaient pas pour autant parler du Christ à ceux qui les entourent, à ceux qui sont devenus leurs amis, leurs frères [...]. Je vous ai demandé si souvent, au cours des années passées, de parler ouvertement, spontanément de Jésus – comme on parle à des amis, des proches, de quelqu'un qu'on aime – pour qu'il soit aimé par eux...* (1961, III 343).

Beaucoup connaissent les maximes de Frère Charles,

ce prophète pour l'Église du XX^e siècle. Combien de fois répète-t-il que ses disciples et lui veulent « prêcher l'Évangile en silence », « être des évangiles vivants ». Pour lui, l'annonce de la Bonne Nouvelle se réalisera par le témoignage de la vie plutôt que par l'éloquence du discours. « On fait du bien, écrit-il, non dans la mesure de ce qu'on dit et de ce qu'on fait, mais dans la mesure de ce qu'on est… dans la mesure en laquelle Jésus vit en nous. » Ou encore : « Toute notre existence, tout notre être doit crier l'Évangile sur les toits… Tout notre être doit être une prédication vivante, un reflet de Jésus… quelque chose qui crie Jésus, qui fasse voir Jésus. »

À la suite de celui qu'elle considère comme *« l'unique fondateur »*, P.S. Magdeleine ne veut être que *« celle qui essaie de transmettre sa pensée, après avoir cherché à la recueillir, le plus fidèlement possible, dans les enseignements de sa vie et de sa mort, bien plus que dans son règlement »* (BV 2). Fidèlement, elle attend de ses Petites Sœurs que *« faisant partie de la masse humaine », « mêlées à tous »*, à leur tour elles crient l'Évangile par toute leur vie.

Depuis un demi-siècle, nous rencontrons des Petites Sœurs dans les HLM des banlieues, dans les bidonvilles des grandes cités ou les roulottes des caravanes… Mais, selon leur vocation, elles n'ont pas d'œuvres – ni dispensaires, ni écoles, ni catéchismes – elles n'ont pas *« d'apostolat organisé »*. Serait-il faux d'en conclure qu'elles ne sont pas « apôtres » ? Une telle supposition indigne P.S. Magdeleine qui réplique : *« Nous sommes apôtres par essence puisque nous sommes chrétiennes et que nous devons faire connaître […] celui qui nous aime et que nous aimons »* (1956, II 404).

Évidemment, manifester Jésus par une vie inlassablement conforme à l'évangile est bien plus exigeant que d'entreprendre de longs entretiens, où l'on n'engage que sa parole. Pourtant, nous le constatons, les hommes, autour de nous, sont attirés par les témoins. La forme d'apostolat dont Frère Charles est l'initiateur correspond à l'avènement, dans l'Église, du *« respect des autres croyances et des autres religions »*, du respect infini de la liberté humaine, consacré par le concile Vatican II. Nos contemporains se méfient de tout ce qui ressemble, de près ou de loin, à une entreprise de prosélytisme. Et nous-mêmes, que savons-nous du dessein de Dieu sur notre ami, notre frère ? Quelle est la volonté de Dieu sur lui ?

Pouvons-nous dresser le bilan apostolique d'une amitié partagée ? *« C'est dans ce sens,* nous explique P.S. Magdeleine, *que je dis qu'il faut aller vers les gens avec une amitié gratuite qui aime sans chercher de retour, sans calculer les résultats obtenus. Cela nous déconcerte tellement quand on nous demande : "Quels sont les résultats de votre apostolat ? Quelle influence avez-vous sur ceux qui vous entourent ?" C'est un langage qui ne correspond à rien pour nous. Notre vocation est de faire aimer le Christ à travers nous, sans chercher à en connaître les résultats. Dieu les compte et Dieu les voit »* (1959, III 233). Pourtant, P.S. Magdeleine émet le vœu que, dans l'entourage d'une fraternité, *« pas un seul ne meure sans avoir pu découvrir, ou au moins entrevoir, un peu de cet amour du Seigneur »* que les Petites Sœurs laisseront rayonner à travers elles (1968, IV 253). Rien de contradictoire néanmoins dans ce souhait car tout se passe alors dans le secret des cœurs et les Petites Sœurs n'en sauront vraisemblablement rien jusqu'au jugement dernier ! Ce qui permet à P.S. Magdeleine de conclure son propos très justement : *« Nous ne considérons pas que nous avons perdu notre temps, même si nous passons toute notre vie sans y voir aucune conversion »* (III 233). Et à l'Heure suprême, les statistiques et les classifications disparaîtront, on n'aura plus besoin de la lumière parce que le Seigneur Dieu nous illuminera et qu'Il « sera tout en tous » (cf. Ap 22,5 ; 1 Co 15,28).

Chaque chrétien ne se trouve-t-il pas tiraillé entre deux exigences qui paraissent s'opposer ? D'une part, notre amour passionné pour Jésus nous entraîne à vouloir l'annoncer, le révéler à ceux qui nous entourent et à souhaiter qu'ils partagent notre foi. D'autre part le respect de notre frère nous incite à la compréhension et à la tolérance pour une autre religion, une autre culture que la nôtre. Notre amitié, si elle se veut authentique, sera loyale et, par conséquent, débarrassée de toute arrière-pensée tactique, en un mot elle sera gratuite. Dieu ne nous aime-t-il pas gratuitement ? N'est-ce pas à sa manière que nous devons aimer nos frères ? Ainsi, le dernier mot reste à la gratuité, indissociable de l'amour. *« (les Petites Sœurs) ont conscience que leur vocation doit être une amitié gratuite, un amour gratuit pour tous ceux avec qui elles vivent »* (1974, V 196). Et s'il nous arrive d'avoir à parler sans calcul de ce qui nous tient à cœur, *« ce qui est important, c'est de le faire humblement, pauvrement, non comme une tâche d'enseignement mais dans un désir d'amitié pour faire partager à nos amis ce qui est notre bien suprême et notre joie »* (1963, III 481).

« Mon Dieu, faites que tous les humains aillent au ciel ! Amen ». Ainsi priait Frère Charles, dans sa chapelle au sol de sable roux. Il avait même rêvé d'apprendre cette prière à ses amis de Beni Abbès : elle termine chacune des leçons de ce catéchisme, inutilisé, qu'il avait intitulé : « L'Évangile présenté aux pauvres du Sahara ». Comme il explique que toutes nos demandes doivent être suivies de la formule « non pas ma volonté, mon Dieu, mais la tienne », son ardente invocation ne pouvait qu'être sous-tendue par l'adoration de la volonté divine : que tous les humains aillent au ciel, mon Dieu, oui, mais de la manière et selon les moyens que tu as choisis ! Ô mystérieux dessein de Dieu sur notre humanité ! Que sa volonté, quelle qu'elle soit, s'accomplisse sur chacun de nous, chrétien ou musulman, bouddhiste ou incroyant !..

C'est dans cet esprit qu'intercèdent les Petites Sœurs au pied du Saint Sacrement, comme les y engage P.S. Magdeleine : *« Tu porteras dans ton cœur le souci des immenses multitudes d'hommes qui ne sont pas encore évangélisés et tu feras de la rédemption du monde l'œuvre de toute ta vie, priant et suppliant avec instance pour que "tous les humains aillent au ciel"... »* (R 22-23). Une autre fois, elle les encourage en évoquant Nazareth : *« Quel plus bel apostolat que notre prière, notre adoration du Saint Sacrement, notre témoignage de travail dans une union avec celui de Jésus à Nazareth ! C'est comme si on disait que, jusqu'à trente ans, Jésus n'avait pas travaillé à la rédemption du monde »* (III 233). Partager la vie d'un milieu de travail ou d'un quartier, tout en criant l'Évangile par notre vie, rend le Seigneur Jésus proche de ceux qui nous fréquentent. En notre pauvre prière, le Sauveur prolonge son intercession pour le salut du monde. Tout cela, n'est-ce pas « vivre Nazareth » aujourd'hui ? *« On dit trop : "Les Petites Sœurs ne font rien" au lieu de dire : "Elles font ce que le Seigneur faisait à Nazareth jusqu'à l'âge de trente ans"…* » (1965, IV 52).

Seigneur, nous t'en prions, apprends-nous à aimer *« chaque être d'un amour gratuit qui n'exige rien en retour, mais voudrait seulement devenir un message d'espérance et un signe d'unité entre les hommes pour leur porter la joie du Seigneur et le témoignage de son Amour* » (R 108).

# AIMER COMME JÉSUS

« C'est à l'amour que vous aurez les uns pour les autres que tous reconnaîtront que vous êtes mes disciples » (Jn 13,35)

*Je voudrais que, dans tous les coins du monde où vous êtes plantées, vous soyez un ferment de douceur et d'amour. Il faudra d'abord l'être entre vous. Que la vue de votre amour mutuel aide les autres à mieux se comprendre et à mieux s'aimer [...].*
*Le Seigneur transformera peu à peu vos cœurs pour les rendre de plus en plus bienveillants et généreux... doux et humbles... ne jugeant pas sur les apparences... sachant trouver toujours le bon côté des êtres et des choses... ne les regardant pas à la lumière de votre tempérament à vous, de votre culture ou de votre civilisation... vous reconnaissant incapables d'avoir en quelques jours, en quelques semaines, en quelques mois, une claire vue des êtres qui vous entourent, et surtout vous mettant plus à la place du publicain de l'Évangile qu'à celle du pharisien et voyant davantage « la poutre qui est dans votre œil que la paille qui est dans l'œil de votre frère » (Mt 7,3-5)...* (1955, II 346).

*Je vous ai si souvent répété que si l'on me disait de*

*définir en un seul mot la mission de la Fraternité, je n'hésiterais pas une minute à crier :* ***Unité****, car, dans l'unité tout peut être résumé.*
*Nous y trouvons l'essence même de l'amour, l'amour ne pouvant exister sans unité. Aimer, c'est vouloir ne faire qu'un avec ceux qu'on aime…*
*Mais nous y trouverons aussi la pauvreté car si nous ne voulons ne faire qu'un avec les plus pauvres, pour qui nous devons avoir un amour de prédilection, nous ne supporterons pas d'être plus riches qu'eux, de posséder alors qu'eux ne possèdent pas…*
*Nous y trouverons la douceur car on ne pourrait être « un » avec celui à qui on parlerait durement ou qu'on traiterait avec rudesse… Nous y trouverons l'humilité et le respect de « l'autre » car on ne pourrait pas être « un » avec celui qu'on mépriserait […]. Nous y trouverons l'oubli de nous-mêmes et la compréhension des autres car il serait impossible de s'identifier à « l'autre » en pensant égoïstement à soi…*
***L'unité c'est le plus haut sommet de l'amour*** *et c'est pourquoi le Christ bien-aimé dans son testament suprême a voulu terminer son discours après la Cène par cette prière : « Père qu'ils soient un comme nous sommes un… Qu'ils soient consommés dans l'unité » (Jn 17,23)* (1962, III 427-428).

*Je voudrais que chacune de vous ait la passion de l'unité, comme un artiste a la passion de la beauté et un penseur, de la vérité… Il faudrait que comme un musicien souffre de la moindre fausse note au point d'en sursauter, vous ressentiez douloureusement en vous la moindre atteinte à l'unité. Je voudrais que chaque parole qui blesse un être vous blesse profondément au cœur comme si l'on touchait à votre père ou à votre mère, à votre frère ou à votre sœur...* (III 429).

*La charité fraternelle, l'hospitalité, c'est notre devoir primordial. Rien d'autre ne peut le remplacer. «* ***La charité au-dessus de toutes les règles*** *» reste notre mot d'ordre...* (1955, II 361)

Nous ne méditerons jamais suffisamment ce que nous livre Jésus, le soir du Jeudi Saint, et qui prend figure de testament dans ces heures si émouvantes, qui précèdent sa mort : « Mon commandement, prescrit-il, c'est que vous vous aimiez les uns les autres comme je vous ai aimés » (Jn 15,12). Aimer « l'autre » en prenant comme modèle l'amour dont Jésus l'aime, quelle exigence sans limites ! Et qui enthousiasme P.S. Magdeleine : *« L'amour fraternel est ce qu'il y a de plus beau, de plus grand ! »* (1980, VI 281). Suppliez le Seigneur, ajoute-t-elle, de *« changer vos cœurs pour que vous aimiez comme Jésus aime »* (1981, VI 441). Et elle traduit concrètement cet idéal dans la *« passion de l'unité »*, qui doit commencer à se vivre dans chaque petite fraternité : *« C'est grave l'unité... Si elle n'est pas chez nous, ce n'est pas la peine que nous offrions notre vie pour qu'elle soit chez les autres »* (1955, II 363).

Ce que P.S. Magdeleine recommande à ses Petites Sœurs au sujet de la charité fraternelle nous touche, nous aussi, et nous pouvons nous efforcer de le réaliser dans nos familles, nos communautés, nos paroisses... partout où ce témoignage peut faire revivre celui des premiers chrétiens : « *Si **chaque homme est mon frère**, comme l'a réaffirmé le Pape Paul VI avec tant de force, votre Petite Sœur toute proche est encore plus votre sœur que toutes les autres, vous avez donc le devoir de l'aimer au-dessus des divergences de tempérament et de caractère [...]. Il faudrait que vous ayez une grande joie à vous retrouver ensemble chaque soir ou chaque midi, à votre retour du travail... ensemble à chaque repas, à chaque réunion, à chaque révision... Votre vie en serait transformée et on pourrait enfin dire de vous, comme on disait des premiers chrétiens : "**Voyez comme elles s'aiment**"* » (1971, IV 481).

Toutes nos déficiences dans le domaine de la charité fraternelle prennent racine dans notre cœur, ainsi que l'enseigne Jésus : « C'est du cœur des hommes que viennent les pensées mauvaises... méchancetés, envie, diffamation, etc. ». « Car la bouche parle du trop-plein du cœur » (Mc 7,21-23 ; Mt 12,34). N'avons-nous pas tendance, spontanément, à juger les autres et à être bien plus sévères pour eux que pour nous ? Sommes-nous sûrs d'être débarrassés de ce que Jésus condamne dans l'orgueil du pharisien de la parabole, lui qui se réjouit devant Dieu « de n'être pas comme le reste des hommes » (Lc 18,11ss) ? Jésus ne semble pas avoir prévu d'exception quand il enjoint : « Ne jugez pas, vous ne serez pas jugés » (Mt 7,1). Et P.S. Magdeleine souligne sans cesse l'actualité de la parabole de la paille et de la poutre : « *Ayez entre vous, je vous en supplie, cet amour de bienveillance qui essaie d'interpréter en bien les intentions plutôt que de juger en mal les paroles et les actes. Ayez entre vous cet amour plein de bonté qui pardonne et couvre d'un voile d'indulgence les lacunes et les imperfections... cet amour humble qui, en voyant la* ***"paille dans l'œil" de sa sœur****, se hâte de regarder la* ***"poutre qui est dans le sien"*** (Lc 6,41) » (1949, I 450). Et si, au lieu de juger, nous avions un *« préjugé favorable »*, inspiré par la bienveillance envers chacun, qui *« sans méconnaître le mal (nous) amène à voir d'abord le bien en chacun » ?* À ce conseil, P.S. Magdeleine ajoute ce qui ressemble à des apophtegmes de Père du désert : *« Tu te rappelleras que souvent, sur le visage de l'autre, tu trouveras le reflet du tien »* (R 149). *« Donnez à chaque chose sa vraie valeur : une valeur immense aux plus petites dès qu'elles risquent de porter atteinte à la charité, à la générosité, à l'amour de Jésus... une valeur insignifiante aux plus grandes, si elles ne doivent porter atteinte qu'à vous-mêmes »* (I 155). La charité fraternelle c'est comme tout ce que dicte l'Évangile, quelque chose à la fois très simple et terriblement exigeant. *« Je crois que ce n'est pas difficile d'être charitable, il faut s'oublier »* (V 99).

La charité fraternelle c'est le commandement du Seigneur et il est au-dessus de toutes les prescriptions de la Loi, de tous les règlements, de tous les programmes. Lors de l'appel de Matthieu, le publicain, le Seigneur n'hésite pas à enfreindre les règles de pureté légale en allant s'attabler avec les amis et les invités du nouvel apôtre, « publicains et pécheurs ». Cela crée un scandale dans le petit monde religieux de la région. Jésus rétorque en appliquant la sentence du prophète à la situation : « C'est l'amour que je veux et non le sacrifice », et il ajoute cette parole terrible : « Je ne suis pas venu appeler les justes mais les pécheurs » (Mt 9,13). On comprend qu'à la lumière de cette page et de quelques autres, P.S. Magdeleine puisse nous assurer que *« la charité est au-dessus de toutes les règles »*. C'est reprendre, à sa manière, la célèbre phrase de saint Augustin : « Aime, et fais ce que tu veux ». Cette maxime n'est pas une invitation au laisser-aller, mais un appel à toujours davantage d'amour, comme P.S. Magdeleine en fait l'illustration dans cette recommandation : *« Les temps de retraite sont des occasions de faire grandir notre amour. Et c'est pourquoi ceux qui viendraient les perturber, devraient quand même trouver notre sourire et notre amour… Avant le silence de la retraite, il y a le grand commandement de la charité »* (1942, I 127).

Être bon, très bon, infatigablement bon, n'est-ce pas redire tout cela d'une autre façon ? *« Est-ce que nous avons été assez charitables, assez bonnes, assez profondément bonnes ?.. On n'est jamais assez bon. On n'est jamais trop bon. Avez-vous assez médité une phrase comme celle-ci :* "Soyez bonnes, immensément bonnes et si le Seigneur vous le reproche lorsque vous paraîtrez devant Lui, baissez les yeux et dites-Lui : et vous Seigneur ?" » (1961, III 344). La phrase citée est de mère Augustin-Marie, qui fut maîtresse des novices de P.S. Magdeleine, chez les Sœurs Blanches d'Alger et avec laquelle des relations confiantes se prolongèrent jusqu'à la fin de sa vie : *« Soyez bonnes, infiniment bonnes pour tous les êtres »* refrain de P.S. Magdeleine, repris en toutes occasions. Un jour, emmenée dans un hôtel magnifique dans l'attente d'un avion, elle pense que *« le comble de la simplicité pour une Petite Sœur c'est de se sentir à l'aise partout. Alors, j'ai repris mon aplomb et j'ai souri à tous ceux qui m'entourent […]. Je voudrais que vous soyez douces et bonnes avec tous les êtres au monde, que vous ne condamniez personne […].*

*Depuis le pauvre gitan jusqu'au plus riche client de cet hôtel, chacun doit représenter pour vous une âme que le Christ aime et pour laquelle il a donné sa vie. Mais ayez, comme lui, un amour de prédilection pour les humbles et les pauvres, une délicatesse et un respect plus grands pour ceux que le monde méprise et considère de haut. J'étais si fière de ma blouse de travail et elle faisait quand même bonne figure auprès de ces toilettes de soirée»* (1948, I 377-378).

Quand la sévérité se lisait sur le visage de P.S. Magdeleine, c'était toujours lorsque la charité était en cause. Ainsi, dès le début de la fondation, elle annonce aux Petites Sœurs présentes… et futures: *«Autant je serai indulgente pour les lacunes extérieures plus ou moins graves, autant je serai exigeante pour tout ce qui touchera à la bonté, à la douceur, à l'amour»* (1941, I 86).

Pendant la guerre, elle donne, à travers la France, des centaines de conférences pour faire connaître Frère Charles et ses Petites Sœurs, et aussi, comme elle dit, son compagnon de route: *«Je parle de plus en plus de Jésus, mon compagnon de route»*. En mars 1944, une nouvelle fois elle débarque à Paris, d'où elle écrit aux Petites Sœurs: *«Je vous écris de Montmartre où je suis en pèlerinage pour vous. C'est pour vous que j'ai gravi le long escalier avec mon lourd bissac sur le dos […]. Arrivée à la basilique j'ai redit au Seigneur toujours la même prière: "Je vous donne ma vie pour que mes Petites Sœurs aient un grand amour qui réchauffe et qui emporte bien loin de soi-même"… Dites, ne croyez-vous pas que cela vaut la peine de donner ma vie à cette intention?..»* (I 199-200).

La charité fraternelle, la bonté ne sont pas chose facile, nous le savons bien. Dans ce domaine, comme en bien d'autres, nous sentons en nous la contradiction que relevait saint Paul et qui le faisait s'exclamer : « Malheureux homme que je suis !.. Car le bien que je veux, je ne le fais pas et le mal que je ne veux pas, je le commets » (Rm 7,19-24). *« Nous sommes humains, ce n'est pas possible que tout ce que nous faisons, nous le fassions bien. Ne vous étonnez pas si vous sentez que, dans votre cœur, il n'y a pas assez d'amour. Tous, nous manquons d'amour, tantôt dans un sens, tantôt dans l'autre. Le terrible serait de ne pas nous en apercevoir »* (1955, II 354). Aveuglés par « la poutre » de notre œil, sans doute manquons-nous de lucidité, du moins pour ce qui nous concerne, car pour les autres !.. Mais pour y remédier, peut-être est-il possible de s'entraider en revoyant ensemble ce que l'on vit ? *« Il y a un devoir d'entraide mutuelle qui découle de la charité fraternelle mais implique un tel respect, une telle douceur dans la manière de se faire mutuellement des remarques… »* (IV 21). Et puis avec la charité, on n'en aura jamais fini puisque *« la charité fraternelle est l'œuvre de toute notre vie… elle est la forme de notre apostolat… elle est au-dessus de toutes les règles »* (1979, VI 156).

Seigneur Jésus, doux et humble de cœur, apprends-nous l'humilité et la bienveillance, apprends-nous à nous réjouir sans arrière-pensée du bonheur de l'autre. Apprends-nous à accueillir la « différence » non comme une menace mais comme un enrichissement.

Et permets-moi d'ajouter : donne-moi la grâce de l'humour, afin d'éviter de dramatiser les incidents de ma route et afin de renoncer à tout jamais à me prendre au sérieux !

# AVEC JÉSUS FAISANT BON ACCUEIL AUX PUBLICAINS

« Ce que vous faites au plus petit d'entre les miens c'est à moi que vous le faites » (Mt 25,40)

*Dans la notion d'amour, il faut toujours qu'il y ait celle de respect. On n'y pense pas assez et il semble que les deux sont contradictoires. Et pourtant, l'amour sans le respect entraîne, pour certains, l'amour paternaliste, puis l'amour de camaraderie. Le véritable amour pour tout être humain est à base de respect* (1957, III 104).

*Il faut que votre amour grandisse, s'approfondisse et se nuance de délicatesse. L'amour généreux se trouve plus facilement, mais l'amour délicat et respectueux de chaque être est rare. Dans chacun d'entre eux, il y a le visage du Seigneur. Et comme Il a dû souffrir dans son agonie et dans sa passion de nos manques de délicatesse et de respect dans l'amour !.. Il a dit : « Ce que vous faites au plus petit d'entre les miens, c'est à moi que vous le faites » […]. Plus ils sont petits, plus notre amour fraternel doit être respectueux et délicat…* (1951, BMA 150).

*Sans exclure les riches de ton amour, tu auras comme*

*Jésus lui-même, un amour de prédilection pour les plus petits, les plus pauvres et les plus déshérités, pour les oubliés et les mal aimés, victimes de l'indifférence des riches et des puissants envers les petits et les pauvres. Tu seras pleine d'attention et de délicatesse pour les malades et les vieillards trop souvent laissés à leur solitude [...].*
*Et pleinement confiante qu'avec sa grâce une présence de douceur et d'amitié peut transformer tous les cœurs, tu sauras faire appel à la fibre de bonté qui existe en tout être humain, voyant en chacun, même en celui qui apparemment semble le plus éloigné du Christ, un être aimé par Lui, sauvé par Lui* (R 112-114).

*La plus grande souffrance du pauvre n'est pas la dureté matérielle de sa vie ouvrière, c'est de se voir incompris, oublié et souvent méprisé. Sa peine, sa souffrance n'intéressent personne, et il a fallu attendre notre siècle pour que des prêtres, des religieux puissent partager le travail des pauvres* (1954, II 269).

En citant encore les malades du sida et les travailleurs immigrés et, de façon générale, tous ceux qu'aujourd'hui on appelle les exclus de la société, on pourrait allonger la liste de P.S. Magdeleine. Respecter l'un de tous ceux-là c'est porter sur lui un regard nouveau, c'est tenir compte de lui, alors qu'habituellement on n'y fait pas grande attention. *« Rappelez-vous toujours : le plus pitoyable des êtres humains que vous rencontrez sur votre chemin a la dignité humaine ! Il faut le respecter toujours... Ne traitez jamais personne avec un complexe de supériorité. Devant Dieu, il n'y a ni "supérieur" ni "inférieur"»* (SME 394).

Il a fallu que Jésus aille à la piscine de Bezatha pour que l'on prenne en considération cet infirme que personne ne remarquait (Jn 5,6). Un autre jour, Jésus fait observer, à ses disciples, l'obole de la pauvre veuve, alors que les yeux étaient tournés vers «les riches qui mettaient leurs offrandes dans le Trésor» (Lc 21,2-3). Ce comportement de Jésus ne se comprend que si l'on adopte l'échelle de valeurs toujours nouvelle de l'Évangile. Un acte symbolique de Jésus illustre parfaitement cette nouveauté. Les disciples discutent avec animation de la hiérarchie dans le futur Royaume des cieux: qui donc sera le plus grand? c'est-à-dire le personnage le plus important qui attirera tous les regards et la déférence des citoyens. Et Jésus prend un enfant, un de ceux qui dérangent puisqu'on les empêche d'approcher le maître, et il le place au milieu d'eux. Il ne déclare pas qu'il est le plus grand, mais, mille fois mieux, il le propose en modèle à ses auditeurs ébahis: «Si vous ne changez pas et ne devenez comme de petits enfants, vous n'entrerez pas dans le Royaume des cieux.» Et encore plus fort, il va jusqu'à s'identifier à ces petits: «Quiconque accueille un de ces petits enfants, c'est moi qu'il accueille» (Mt 18, 2-5; 19,13-14).

Pour le chrétien, c'est aller à contre-courant que de chercher à partager le regard de Jésus. À ses yeux, le pauvre, le malade, l'enfant sont importants. D'où le respect profond et toute la délicatesse à leur égard qui doivent inspirer son comportement jusque dans les moindres propos de la vie quotidienne. Deux petits incidents permettent à P.S. Magdeleine d'expliciter ce qu'elle attend d'une attitude évangélique : « *Dernièrement, il était relaté d'une manière ironique et méprisante les faits et gestes d'un homme ivre. Rien que le mot m'a fait un coup au cœur et j'ai souffert de la souffrance des Petites Sœurs qui liraient cela si elles avaient dans leur famille un être cher ayant cette faiblesse. (Une autre fois, on rapportait) les extravagances d'un malade mental. Je vous en supplie, ne parlez pas légèrement de tout ce qui fait souffrir tant d'êtres. Celui ou celle dont vous parlez si légèrement pourrait être votre père ou votre mère, votre frère ou votre sœur... Y avez-vous seulement une fois réfléchi ?* » (1954, II 354).

Quelquefois nous généralisons et attribuons à toute une catégorie d'êtres humains tel défaut rencontré chez quelques-uns. Ou bien, sur certains, avant de les connaître, nous collons une étiquette qui nous empêche de les aborder avec un esprit affranchi de tout préjugé. Les publicains étaient honnis par les contemporains de Jésus. Quand celui-ci leur fait bon accueil, il ne tient pas compte de la réprobation de l'opinion publique. Comment ses auditeurs n'ont-ils pas ressenti comme une scandaleuse provocation la boutade où il annonce que « les publicains et les prostituées les précèdent dans le Royaume des cieux » (Mt 21,31) ? Imitons cette grande liberté de Jésus vis-à-vis des étiquettes et du qu'en-dira-t-on. « *C'est rare, quand on parle avec quelqu'un, qu'il n'y ait pas une ironie quelconque sur un peuple ou sur un être... Que votre silence montre que vous n'êtes pas d'accord et, s'il s'agit de quelqu'un que vous connaissez bien, il faudrait que vous ayez le courage de réagir* » (1958, III 175). « *Même dans un compartiment de train, jamais je n'ai pu entendre une conversation contre un peuple sans essayer de prendre sa défense et je vous assure qu'avec la grâce du Seigneur, on arrive à rétablir la vérité dans la charité et l'indulgence»* (1959, III 192). Dans toutes les circonstances où nous nous trouvons, une seule consigne: *«une charité extrême»*.

Ne sommes-nous pas tellement habitués à des situations douloureuses, à des drames humains que nous devenons quelque peu indifférents à la souffrance de nos semblables? Il nous arrive même de porter des jugements sommaires comme: «Ils y sont habitués». N'est-ce pas atroce? P.S. Magdeleine, lors de son tour du monde, a rencontré des misères effroyables, qu'elle décrit à ses Petites Sœurs. Elle mentionne, par exemple, *«dans certains pays, des bandes innombrables de pauvres gens qui nous tendent la main... Il y a des lépreux aux membres rongés et déformés... Il y a de pauvres petits qui répètent "j'ai faim" et c'est vrai [...]. J'ai peur que les Petites Sœurs pensent à autre chose en les croisant et détournent leur regard pour n'avoir pas à se déranger. Je ne dis pas de donner à tous les mendiants qui passent. Je dis seulement que, lorsque vous ne leur donnez rien, il faut au moins qu'ils ne rencontrent pas, dans vos yeux à vous aussi, des regards chargés d'indifférence»* (1954, II 301-302).

Quand je passe insensible ou distant à côté d'un être qui souffre, permets, Seigneur, que j'entende résonner ta parole: «C'est à moi que tu l'as fait». Puisse ma foi accueillir ces mots comme ceux de la consécration afin que je pressente ton invisible présence «sous les espèces» du pauvre et du malheureux, comme je l'adore sous le signe du pain! Rends-moi attentif et amical *«dans un humble et fraternel respect aux plus petits, aux plus pauvres, aux plus méprisés, à tous ceux qui reflètent dans leur vie (ton) visage souffrant, Seigneur* » (R 11).

Nous ne pouvons nous empêcher – bien à tort – d'évaluer, chez autrui, sa proximité du Seigneur Jésus d'après des apparences, par exemple en tenant compte de sa plus ou moins grande fréquentation de notre Église. Nous faisons nôtre, inconsciemment, l'appréciation du pharisien de la parabole. En dehors de l'Église, s'étendrait un désert religieux peuplé de publicains. Nous oublions, en jugeant ainsi, que le Royaume de Dieu s'étend bien au-delà des frontières visibles de l'Église. Une telle myopie spirituelle peut engendrer l'intolérance, ou, en tout cas, nous faire ignorer, chez ceux qui nous entourent, les richesses cachées au-delà des apparences. Or, le Seigneur Jésus s'acharne à mettre en valeur la foi du centurion païen de l'armée d'occupation, l'humilité du publicain détesté ou la charité du samaritain hérétique. Il contraint ses auditeurs à découvrir, au-delà de leurs classifications et de leurs partis-pris, des valeurs insoupçonnées chez ceux qui sont méprisés ou rejetés. Avec un profond respect et toute notre amitié, sans nous arrêter à nos réactions instinctives, partons à la découverte du secret des cœurs de ceux que le Seigneur place sur notre chemin. Comme écrivait Frère Charles, « voyons en eux ce qu'ils sont, non ce qu'ils peuvent paraître. Regardons-les comme Dieu les regarde ». Et P.S. Magdeleine appuie cette exhortation : « *Au-delà des apparences, tu découvriras les valeurs cachées, regardant tout être humain comme un frère bien-aimé, racheté par le sang du Christ* » (R 109). Cette qualité de regard qu'on doit porter sur l'autre est si importante qu'elle n'hésite pas à se répéter : « *Tu sauras faire appel à la fibre de bonté qui existe en tout être humain, voyant en chacun, même en celui qui apparemment semble le plus éloigné du Christ, un être aimé par lui, sauvé par lui* » (R 114).

Ceux que P.S. Magdeleine appelle les « *petits* », ce qui signifie « *des personnes que le monde juge sans importance* », ce sont ceux-là que Jésus fait monter sur le podium : il rend grâces à son Père d'avoir caché les secrets du Royaume « aux sages et aux savants et de les avoir révélés aux tout petits » (Mt 11,25). Aurons-nous l'humilité de nous mettre à l'école de ces petits afin qu'ils nous évangélisent ? « *Tu n'oublieras pas que, bien souvent, ce sont les petits et les pauvres qui t'évangéliseront et te révéleront Jésus en purifiant ta manière de voir* » (R 24).

Dans son petit carnet, P.S. Magdeleine avait noté « *Mon Jésus, je voudrais tant te parler ce soir, mais je suis tout écrasée par le poids de la misère humaine, par tout ce que le monde traîne derrière soi de haines, de rancunes, de jalousies, de colère, d'orgueil, d'écrasement des petits par les grands, des faibles par les forts. Pourquoi Seigneur, pourquoi ? [...] Jésus, mon Bien-Aimé frère et Seigneur Jésus, je t'en supplie, transforme-nous en toi, en ta douceur, en ta bonté, en ton amour, pour qu'autour de nous, là où il y a le plus de haine, les cœurs soient transformés, rajeunis et radoucis* » (N, 1966).

# AVEC JÉSUS, FRÈRE DE TOUS

« Si vous aimez seulement ceux qui vous aiment, que faites-vous là d'extraordinaire ? » (Mt 5,46-47)

*Ton cœur devra s'élargir aux dimensions du monde, et tu n'excluras de ton amour aucune race, aucun peuple, aucune tribu, aucun milieu, aucun être humain, tous tant aimés de Dieu* (R 109).

*Le Seigneur veut que notre cœur soit libre pour* ***aimer d'amitié*** *tous les êtres sans exception. C'est cela l'essentiel de notre vocation : réussir cette chose si difficile de faire entrer dans notre cœur – comme s'ils en étaient l'unique ami – tous ceux qui nous entourent d'une manière plus particulière et que le Seigneur a mis sur notre chemin… réussir cette chose que Dieu seul peut aider à réaliser : qu'aucun être ne puisse être jaloux de l'amitié que nous portons à un autre parce que tous seront au maximum aimés d'amitié.*
*C'est cela le* ***message de la Fraternité****, ce message que nous devons porter à travers le monde, dans les cinq continents, à tous les peuples, qu'ils soient chrétiens, israélites, musulmans ou bouddhistes, marxistes ou athées* (1956, II 421).

*Au sujet de l'amour universel, il faudrait que vous fassiez la révision de ce qui est tout au fond de vous-mêmes [...]. Est-ce qu'il n'y a pas une personne qu'inconsciemment vous avez rejetée de votre cœur ? La plus grande faute qu'une Petite Sœur puisse commettre c'est de manquer d'amour.*
*Et si je mets toujours devant vous un idéal très haut, ce n'est pas pour que vous y arriviez tout de suite. Je vous l'ai dit souvent. Il me suffit que vous soyez engagées sur la route qui y conduit, que vous ne lui tourniez pas le dos. Si, ayant le pied engagé dans la bonne voie, vous tombez parce qu'elle est trop escarpée, mais que vous vous releviez pour regrimper, cela me suffit, parce que je suis sûre que le Seigneur bien-aimé est heureux de vos désirs, de vos efforts...* (1957, III 101).

*A-t-il fait un choix, le Seigneur Jésus ? Ne s'est-il pas au contraire offert aux clous de la croix, les bras grands ouverts, justement pour que personne ne soit exclu de son amour, serait-il le plus misérable, le plus égoïste et le plus ingrat de tous les hommes, le plus injuste de tous les patrons, le plus snob de tous les habitués de salon. Pour tous, le Seigneur Jésus a souffert et il est mort. Tous, sans exclusion, au nom de son Amour, ont un droit strict à votre amour fraternel même s'ils n'ont pas droit à votre temps* (1950, BMA 58).

Quand, en 1939, P.S. Magdeleine fonde, à Touggourt, la première fraternité, il s'agit, à ses yeux, d'une congrégation de « *Petites Sœurs nomades au Sahara* », consacrée exclusivement aux populations d'Islam et vivant une partie de l'année sous la tente.

Quelques années plus tard, la fermeture provisoire de Touggourt, les projets de fraternité ouvrière à Aix et d'autres appels contraignent P.S. Magdeleine à se poser la question de l'élargissement de la Fraternité, mais elle n'y voit pas clair. Elle se retire quelques jours en Provence, auprès de la grotte de la Sainte-Baume où, selon la tradition, aurait vécu sainte Marie-Madeleine – pèlerinage très cher au Frère Charles. *« Une fois de plus, Jésus, ton action, ta présence se sont fait sentir au plus profond de mon être. J'ai mis du temps pour comprendre sur quelle nouvelle route tu voulais me conduire par la main »* (N, 1946). Et le 26 juillet 1946, jaillit en effet l'intuition qui bouleversera les anciens projets : *« En pleine rue, au retour de la Sainte-Baume, j'acquiers soudain la certitude... comme si une grande lumière intérieure me l'imposait... que la Fraternité devait s'étendre au monde entier et devenir "universelle". C'était pour moi, le sacrifice d'une idée qui m'était très chère : la consécration exclusive des Petites Sœurs de Jésus aux populations d'Islam... J'en reste un moment interdite, mais en même temps certaine que là était la volonté du Seigneur... »* (SME 217). Et le 8 septembre, elle écrit aux Petites Sœurs pour leur annoncer *« la naissance de la **Fraternité universelle** ». « Réjouissez-vous de toutes les Petites Sœurs qui vont naître dans tous les coins, d'un bout du monde à l'autre, du pôle nord au pôle sud, de l'Afrique à la Chine, à l'Inde, à la Russie... Ouvrez vos cœurs tout grands par l'amour »* (SME 220).

Un élan formidable va pousser P.S. Magdeleine, tout au long de sa vie, à parcourir l'univers, à rencontrer les populations les plus diverses, à semer partout des fraternités de deux ou trois Petites Sœurs. *« Ce n'est pas seulement le Seigneur qui me conduit par la main, c'est une force qui est en moi et à laquelle je ne puis résister*, confie-t-elle avant d'entreprendre son "tour du monde". *Le monde entier m'appelle. Le Seigneur me presse d'aller partout planter des Petites Sœurs... de lutter contre le mal que je rencontre... de n'avoir pas peur de dire la vérité aux grands de la terre, quitte à me faire condamner. Il m'oblige à sortir de l'ombre où je voudrais rentrer »* (1951, II 99). Une nuit de Noël, elle écrit : *« De plus en plus, mon cœur s'élargit pour embrasser les quatre coins du monde et toutes les misères. »* Et c'est ainsi que nous trouvons des Petites Sœurs « gitanes avec gitans », prisonnières volontaires en Maisons centrales, comme vivant avec les Pygmées, d'autres travaillant dans les usines, dans les baraques foraines ou au cirque. Du haut du ciel, Frère Charles, qui voulut être « le Petit Frère universel », se penche et regarde en souriant : il était prêt, un demi-siècle plus tôt, « pour l'extension du saint Évangile, à aller jusqu'au bout du monde et à vivre jusqu'au jugement dernier ».

L'amour universel ne commence-t-il pas à l'intérieur de la Fraternité et d'abord dans l'acceptation de la diversité ? *« Vous êtes de tous pays. Ne cherchez pas à ressembler les unes aux autres. Le bon Dieu a permis qu'il y ait des pays froids et des pays chauds, des pays de soleil et des pays de neige... Alors les tempéraments s'en ressentent. Ne dites pas à une Petite Sœur du midi de la France, du sud de l'Italie, du sud de l'Amérique ou d'Orient que vous voyez pleine de joie et d'enthousiasme : "Mon Dieu, comme tu es excitée aujourd'hui"... Elles sont faites pour semer sur leur route ce soleil qui réjouit les cœurs [...]. Nous voulons être* ***interna-***

***tionales, universelles****. Ne mettons pas tout le monde dans le même moule… Mais naturellement, cherchons à corriger les défauts de notre tempérament* » (1962, III 419).

L'accueil de ceux qui frappent à la porte est aussi école d'amour universel : « *Tu t'efforceras de ne jamais faire attendre quelqu'un afin qu'aucun ami, aucun hôte, aucun visiteur n'ait l'impression qu'il dérange quand il vient à la fraternité* » (R 131). « *Jésus, fais que jamais nous ne fermions nos portes, volontairement, à aucune de ces âmes que Tu attends et qui T'attendent…* » (N, 1947). N'est-ce pas là aussi que se fera l'ouverture « *aux autres formes de pensée* » où l'on n'hésitera pas à dialoguer, tout « *en sachant respecter les opinions contraires en matière sociale, politique ou religieuse* » ? Dans ce domaine, chacun de nous peut contribuer à la fraternité universelle, en faisant se rencontrer, pour qu'ils se connaissent, des gens de religions ou de pays différents. La méconnaissance engendre souvent la xénophobie. « *Dans un désir de rapprochement et d'unité, les Petites Sœurs favoriseront des rencontres dans leurs fraternités entre membres de religions, de races, de nations et de milieux sociaux différents* » (R 129).

Le Seigneur nous invite à un amour fraternel qui saute toutes les barrières, qui veut s'ouvrir à ceux qui sont différents par la race, la religion, la culture, c'est-à-dire bien au-delà de ceux que nous considérons, spontanément, naturellement, comme des frères parce qu'ils parlent la même langue ou qu'ils appartiennent à la même Église, au même parti… « Si vous aimez seulement ceux qui vous aiment… que faites-vous là d'extraordinaire ? Les païens n'en font-ils pas autant ? » Et Jésus nous fait viser très haut : « Soyez parfaits comme votre Père céleste est parfait. » Il est le Père de tous les humains : tous sont ses enfants, sans restriction, même ceux que nous regardons comme nos ennemis ! (Mt 5,43-48). Seigneur Jésus, que mon amour fraternel ne tienne aucun compte des barrières dressées par les hommes, puisque des deux côtés ils sont également mes frères !

De toutes ses impressions de voyages, P.S. Magdeleine dégage des consignes de fraternité universelle. Ainsi, d'Afrique, elle fait part de *« l'immense souffrance qui résulte de ces deux premiers mois de séjour en pays africain... de l'immense souffrance de cette barrière de préjugés qu'il y a entre les Blancs et les Noirs, et qui maintenant s'aggrave de cette même barrière entre les villageois et les Pygmées... Et je vous écris surtout parce que mon âme déborde d'un tel désir d'amour fraternel entre Noirs et Blancs que je ne puis pas ne pas vous le communiquer »* (1951, BMA 106). En 1948, elle raconte sa visite des mosquées du Caire : *« On est frappé du sentiment religieux qui s'en dégage, de la grandeur et de la majesté de cette architecture toute consacrée au culte de Dieu. Quelle foi a dû animer ceux qui l'ont conçue et réalisée au cours des siècles ! Et maintenant encore, tous ces hommes qui sont là en prière adorent vraiment Dieu. Comme il faut se garder de ces jugements superficiels qui ne voudraient pas les reconnaître comme des croyants sincères... »* (SME 272). Supprimer la barrière d'ignorance et d'incompréhension qui sépare chrétiens et musulmans, voilà, pour les chrétiens, une des tâches majeures pour cette fin du XXe siècle. Heureusement, comme l'a dit je ne sais quel sage, les barrières qui nous séparent ne montent pas jusqu'au ciel.

Dans une démarche, tout à fait dans la logique de

l'Incarnation et de l'idéal de Frère Charles, tu as voulu, P.S. Magdeleine, des Petites Sœurs pleinement insérées dans un pays. À être tellement « l'un d'entre eux », n'y a-t-il pas un risque à faire totalement siens les sentiments de la population ? Tu as conscience de ce danger, lorsque tu écris d'un pays d'Afrique : *« Mettez-vous généreusement avec les Noirs, mais ne vous mettez pas avec eux contre les Blancs. Ne passez pas inconsidérément de l'autre côté de la barrière... mais là où vous avez passé, si petit que soit le passage, il faut que vous ayez supprimé cette barrière, je ne dis pas "renversé" ni "démoli" car c'est par des paroles d'amour et non de violence qu'il faudra l'aplanir cette douloureuse barrière de mépris et d'ironie qui sépare les milieux et les races »* (1951, II 92). Surviennent les tensions et les affrontements, pourrons-nous alors aller jusqu'au bout du partage de ce qui fait vibrer notre entourage ? Ne menons-nous pas le même combat de la justice – ou de la paix – mais sans haine ni violence dans notre cœur ? N'est-ce pas le lot du chrétien d'être incompris de ceux qu'il aime et qui lui sont très proches parce que, marchant avec eux, il y aura des pas qu'il ne pourra pas faire ? Être l'un d'eux, partageant leurs justes aspirations, et, pourtant, avec au cœur la souffrance d'une communion inachevée. *« Le plus douloureux, ce sera toujours la contradiction et l'incompréhension... Le Christ aussi a été un sujet de scandale et de contradiction parce qu'il a été jusqu'au bout de sa mission »* (II 196).

Seigneur, tu as permis que ton disciple se sente parfois écartelé, étant tout à fait du monde et en même temps pas tout à fait. Comme il est difficile, au temps des conflits, d'aimer ses adversaires ! Comme il est difficile, Seigneur Jésus, d'avoir un cœur à l'image du tien! *« C'est difficile d'avoir le cœur ouvert à tous les êtres humains! »* Nous n'avons pas le droit d'en exclure un seul, sinon notre *« amour est sapé dans sa base d'universalité et le mal est entré dans (notre) cœur. Il détruira tout... »* (1955, II 376). Oh! quelle rigueur, chère P.S. Magdeleine! Dis-moi, le Seigneur Jésus est-il aussi sévère que toi? Oublies-tu que tu as dit que *« le Seigneur bien-aimé est heureux de nos désirs, de nos efforts »*?

*« Nous avons une telle vocation à l'unité*, écrit P.S. Magdeleine, *au point que nous ne devrions plus supporter ni barrières ni fossés entre les classes, les nations et les races... »* (II 189). Et c'est vrai que toutes ces barrières la scandalisent et que, toute sa vie, elle persévère dans la volonté ardente de les abolir, désirant être *« artisan de paix et d'union entre tous les hommes, quelles que soient leur religion ou leur idéologie : chrétiens, juifs, musulmans, membres d'autres croyances ou athées, marxistes... »*. Le sinistre mur de Berlin se dressait comme une énorme barrière entre deux mondes. Les fracas de son écroulement escortèrent de loin l'enterrement de P.S. Magdeleine, le 10 novembre 1989 : rien ne pouvait davantage la réjouir que cette victoire de la fraternité universelle!

# SE RETIRER SUR LA MONTAGNE AVEC JÉSUS

« Seigneur, apprends-nous à prier » (Lc 11,1)

*Il faut de plus en plus axer toute notre vie sur la prière, sur la présence du Seigneur en nous et dans notre Fraternité. C'est cela qui donne tout son sens à notre vocation… C'est pour y porter le Seigneur que nous parcourons le monde… c'est pour y être une présence du Christ au milieu des musulmans, des hindous… c'est pour joindre la prière du Christ à leur prière […]. Nous n'insistons pas assez sur cette part de prière dans notre vocation. On se donne beaucoup de peine pour expliquer la pauvreté, la vie mêlée, mais notre aspect de prière n'est pas assez marquant dans nos présentations et pourtant, sans elle, notre désir d'insertion si profonde n'a plus aucun sens* (1952, BMA 234).

*Pour moi, la prière c'est essentiellement une vie. Je n'arrive pas à séparer Dieu de tout le créé, parce que Dieu est tellement vivant et présent dans tout le créé. Alors, je voudrais venir à Lui dans la prière avec toutes les créatures, ne pas m'en séparer pour les Lui apporter, pour que Lui non plus ne soit pas séparé de*

*tout ce qu'Il a créé, de tout ce qu'Il aime avec tout son amour de Créateur, de Père [...].*
*Pendant la prière, on va passer tout son temps à chasser la pensée de ce qu'on aime et on n'y arrivera pas ; pourquoi dès la première minute ne pas prendre ce qu'on aime avec soi pour que tout soit purifié par l'amour même de Dieu ?* (N, 1946).

*Tu t'efforceras de vivre en la présence du Seigneur tout au long du jour. Tu y demeureras avec une âme de pauvre car, bien souvent, les conditions de ta vie de contacts avec l'extérieur et la fatigue du travail rendront ta prière difficile et aride.*
*Mais, en même temps, les conditions de cette vie partagée avec les pauvres, les sollicitations des voisins seront un rappel constant de ton devoir d'intercession. Et tu apprendras à prier avec ceux qui t'entourent* (R 179).

*Tu feras de ta participation au Sacrifice eucharistique l'acte essentiel de ta journée que tu uniras – avec tout ce qu'elle contient de prière et de travail, de souffrance et d'amour – au Sacrifice même du Sauveur...* (R 155).

« *Mener une vie contemplative au cœur des masses humaines* », telle a été l'idée-force de P.S. Magdeleine. « *C'est la première fois*, écrit-elle en 1947, *qu'une forme de vie (religieuse) si en contact avec le monde peut être en même temps si authentiquement et profondément contemplative [...]. La vie contemplative, c'est une vie d'amitié avec la personne de Jésus, c'est une vie intérieure beaucoup plus profonde, en contact même avec Dieu. Pourquoi cette amitié, ce contact ne pourraient-ils pas coexister... avec un appel des foules?* (I 338-9).

Les laïcs chrétiens ne peuvent-ils partager cet idéal? Les heures à la chapelle sont-elles plus contemplatives que celles du travail en usine ou de l'accueil du visiteur? Toute notre journée, quelles qu'en soient les occupations, se trouve valorisée par notre union au Christ vivant. Lui ne nous quitte pas, c'est nous qui, accaparés par nos activités, perdons de vue cette présence. Nous éprouvons alors la nécessité de moments où l'on reprend conscience de cette vie du Christ en nous, quelques minutes dans la journée ou quelques jours dans l'année. *« Tu te rappelleras toujours que ta vocation contemplative au milieu du monde te consacre tout entière à l'amour de Dieu et à l'amour de tous les humains, tes frères. Et cela demande un rythme de solitude avec Dieu et de présence aux hommes dont l'alternance, loin d'entraîner un partage dans ton cœur, exprime deux manières différentes de vivre dans l'unité d'un même amour»* (R 209).

Avec vigueur, P.S. Magdeleine rejette tout ce qui signifierait opposition entre deux temps, dans la vie chrétienne. Ce que l'on appelle un « temps fort », selon un vocabulaire absurde, laisse supposer que le temps passé hors de la chapelle serait le « temps faible » de l'union au Seigneur Jésus! *« C'est dans la mesure même où Dieu sera présent et vivant en ton cœur que l'écartèlement entre les exigences de la vie avec Lui et celles du don aux autres fera grandir en toi l'unité de l'amour et que tu pourras aimer tous les humains, tes frères, de l'amour dont Jésus les aime »* (ibid.)

D'ailleurs, lorsque nous entrons dans la chapelle, nous ne nous séparons pas de nos frères, comme si, pour mieux prier, nous devions débarrasser notre esprit de tout ce qui constitue notre vie de tous les jours. Au contraire, le baptême fait de nous tous des prêtres, et on est prêtres pour les autres : ainsi, nous sommes délégués à l'intercession de ceux qui nous entourent. Toutes les solidarités, qui sont les nôtres, débouchent dans ces moments où nous sommes, auprès du Seigneur, les « porte-parole » de nos camarades de travail, des voisins et commerçants du quartier... etc. Un peu à la manière des Petites Sœurs qui vivent leur *« vocation d'intercession », « au cœur même de la souffrance humaine », « dans une instante prière de supplication et dans une soif de justice et de vérité, en union avec ceux qui sont les victimes du mal »* (R 382). Cette tâche d'intercession, nous les baptisés, nous pouvons l'accomplir partout, dans la rue comme au bureau, au cinéma comme au stade. Les Petites Sœurs y consacrent, en particulier, un long moment dans leurs oratoires, au pied du Saint Sacrement : *« Le Saint Sacrement est-il au cœur de notre vie, pour être le centre du quartier, du village que nous habitons ? »* (II 330).

Dans toute la famille spirituelle foucauldienne, on retrouve cette place centrale du Saint Sacrement, telle que la décrit P.S. Magdeleine : *« Cette adoration (du Saint Sacrement) est une des expressions les plus caractéristiques de la prière des fraternités parce qu'elle constitue un des aspects essentiels de la mission que leur a léguée le Petit Frère Charles de Jésus.*

*« Tu accompliras cette mission comme "déléguée permanente de la prière" [...] en t'unissant à la prière du Christ*

*Sauveur adorant, souffrant et intercédant pour tous les hommes afin qu'ils soient éclairés et remplis de son Amour* » (R 156). Au long des années, sa propre expérience ne fait que renforcer sa conviction : « *De plus en plus, en m'avançant vers le terme* (elle ne sait pas qu'il lui reste plus de trente années à vivre !), *je pense que la plus grande chose pour nous, ce n'est pas de travailler en usine ni de se mêler à tous. Je crois que c'est l'adoration du Saint Sacrement* » (1956, II 397).

La prière n'est pas une œuvre plus facile pour une Petite Sœur que pour n'importe quel baptisé. Le poids de la journée, les soucis, la fatigue font que, parfois, ce temps de prière se déroule davantage dans l'aridité austère que dans la ferveur enthousiaste. Partageant la « *condition ordinaire* », la prière des Petites Sœurs sera « *simple et dépouillée ; elle sera une prière de pauvre* ».

Dans la prière, à l'intercession pour les autres succèdent les moments où je suis là, simplement pour le Seigneur. Il sait que le temps, même médiocre, que je lui consacre ainsi, marque concrètement tout le prix que j'attache à son amitié. En m'agenouillant auprès de l'autel, je ne recherche pas ma satisfaction personnelle. Je désire avant tout manifester mon amour et brûler humblement, en pure perte de moi-même, comme la petite veilleuse du tabernacle. « *Ta prière restera un regard d'amour qui te rendra réceptive à la présence mystérieuse en toi des Trois Personnes divines* » (R 179). Comment ne pas être frappé par cette similitude d'attitude, que ce soit dans l'adoration du Saint Sacrement ou bien dans l'amitié offerte à mon frère. L'une comme l'autre sont placées sous le signe de la gratuité.

Ainsi ma vie se trouve harmonisée dans « *l'unité de l'amour* ».

Tous les disciples de Frère Charles, dans le langage de la famille, que les non-initiés peuvent partager, emploient l'expression « journée de désert ». Il ne s'agit évidemment pas du désert géographique, pas très accessible d'ailleurs pour de multiples raisons. Bien plus exigeant qu'un séjour touristique, ce temps de « désert » est celui du dépouillement intérieur, de la solitude et du silence. À la suite des veilles de Jésus, se retirant sur la montagne pour prier, au soir de journées où les foules avaient occupé tout son temps, ce bref arrachement aux engrenages de l'activité quotidienne permet un retour à l'essentiel. Notre regard sur notre vie et sur nous-mêmes en sera purifié, notre courage renouvelé. Les Petites Sœurs, quant à elles, sont invitées à y vivre « *en présence de Dieu avec un cœur de pauvre* ». Quelle bénédiction représente ce havre de silence au milieu du vacarme de nos cités! « *Mais pour que le silence soit vrai, il devra être un silence habité par Dieu, une attente de sa lumière, un désir d'être à son écoute dans un cœur libre de toute préoccupation inutile.* » Dans cette chambre silencieuse, invisiblement, les « autres » ont aussi leur place : « *La solitude avec Dieu ne doit pas séparer des autres mais aider à les aimer avec encore plus de tendresse* » (R 211).

Tu as écrit, P.S. Magdeleine, que cette recherche de Dieu dans le silence est « *un besoin d'amour* ». Sans doute l'as-tu ressenti toi-même ? Tu aurais probablement renouvelé, au cours de ta vie, cette confidence que tu nous as laissée : « *Je ne puis résister à cet appel du tabernacle. Je sais bien que partout je suis avec Lui, que sa présence m'est habituelle, mais cela ne remplace pas la solitude avec Lui. Et ce silence de 11 heures du soir, cette solitude… a pour moi une attirance que personne ne peut deviner, tellement on a l'habitude de me voir mangée, dévorée par tout le monde* » (N, 1966).

# COMME UN SERVITEUR PAS PLUS GRAND QUE JÉSUS, SON MAÎTRE

« Le Fils de l'homme n'est pas venu pour être servi mais pour servir » (Mt 20,28)

*La brisure entre les races comme celle entre les milieux est une des plus graves atteintes au commandement de l'amour.*
*Faites chacune un retour sur vous-même. Il y a dans chaque être un racisme caché et secret dont les racines sont très profondes au cœur de l'homme. On ne se l'avoue pas, mais on regarde toujours son frère avec un complexe de supériorité, et la preuve c'est qu'on le juge. On ne le jugerait pas si on pensait qu'on lui ressemble ou qu'on est plus mal que lui.*
*De plus en plus, j'ai la conviction que la volonté du Seigneur sur notre Fraternité est qu'elle soit au-dessus de tous les préjugés de milieux et de races* (1953, BMA 300-301).

*Peste du racisme et du nationalisme* [1] *lorsque, si spontanément, en arrivant dans un lieu, vous jugez tellement rapidement des gens et des choses, et que ce*

[1] Benoît XV réprouve, chez des missionnaires, la « peste affreuse » du nationalisme (encyclique du 30 novembre 1919).

*jugement va toujours dans le sens d'un complexe inconscient de supériorité de votre part. Et la preuve c'est que votre jugement est presque toujours subjectif et que vous jugez par rapport aux qualités que vous croyez avoir. S'il est objectif, il est tellement prématuré et sûr ! Cela fait sourire parfois de vous voir juger avec une telle certitude dans la semaine ou le mois de votre arrivée, alors qu'il faut des années pour connaître les êtres et surtout les peuples et les races* (1955, BMA 437-438).

*Faudra-t-il donc que jusqu'à la fin des siècles il y ait toujours des groupes humains qui en méprisent d'autres !.. Le mépris, je crois que c'est encore pire que la haine ou du moins cela y conduit tout droit. Et cela brise l'unité de l'amour…* (1951, BMA 106-107).

*Je souffre d'une grande souffrance depuis que je suis au milieu des populations les plus pauvres d'Afrique et je voudrais que vous souffriez de la même manière chaque fois que s'exprime en face des petits et des faibles une supériorité qui les écrase ou qui se contente d'une tâche d'éducateur, si grand soit l'amour qui l'anime. Je voudrais que l'éducateur se double d'un ami et d'un frère… Je pense que nous avons un message d'amitié à transmettre* (1951, III 86).

Quelques heures avant de nous donner la preuve de son plus grand amour, au moment de nous en livrer le mémorial dans la sainte Cène, que fait le Seigneur Jésus ?

Il lave les pieds de ses apôtres, à genoux devant chacun d'eux. L'apôtre Jean, dans un exorde quelque peu solennel, souligne à dessein le verbe aimer : « Avant la fête de Pâque, sachant que l'Heure était venue pour lui de passer de ce monde à son Père, Jésus, qui avait aimé les siens qui étaient dans le monde, les aima jusqu'au bout... » Après cela, on s'attend à quelque démonstration majestueuse, en harmonie avec la gravité de l'Heure. Pas du tout, on nous parle de tablier et de bassine ! Alors que le moment de sa mort approche, le Verbe de Dieu accomplit le travail du serviteur. L'amour fait de ces choses ! Humilité de Dieu ! Cela paraît une énormité d'associer ainsi ces deux mots, et pourtant, n'est-ce pas la vérité ? « Si donc je vous ai lavé les pieds, moi, le Seigneur et le Maître, vous devez, vous aussi, vous laver les pieds les uns aux autres » (Jn 13). Devant un tel tableau, combien semblent ridicules tant de titres honorifiques et de marques de préséance auxquels nous tenons ! Combien sont condamnables, surtout, les manifestations d'un sentiment de supériorité envers ceux que, justement, nous appelons nos semblables.

Cet exemple de Jésus inspire la consigne que donne P.S. Magdeleine à ses Petites Sœurs : *« Pour être plus semblable à Jésus "doux et humble de cœur", venu sur terre non pour être servi mais pour servir, tu te mettras au service de tous, évitant toute recherche de considération, acceptant d'être comptée pour rien, en solidarité avec les pauvres, et te réjouissant chaque fois que tu seras mise à la dernière place »* (R 140).

Nous voilà de nouveau face aux exigences de l'amour fraternel. P.S. Magdeleine est intarissable sur ce sujet, tant il lui tient à cœur. *« On n'est jamais trop bon. »* Mais aujourd'hui, à la lumière de ce qu'elle écrit, examinons si, en nous, ne se cache pas quelque sentiment de supériorité qui nous empêche de considérer tel ou tel autre comme un frère. *« Devant Dieu, il n'y a ni supérieur ni inférieur.* » Selon quels critères estimons-nous que, sur le plan de la culture ou de la civilisation, nous sommes supérieurs ? Peut-être est-ce plus grave encore lorsque ce sentiment se manifeste dans le domaine religieux ? Si j'affirme, fermement et paisiblement, ma conviction que Jésus est « la voie, la vérité, la vie », dois-je pour autant m'en glorifier comme le pharisien de la parabole : « Mon Dieu, je te rends grâces de ce que je ne suis pas comme le reste des hommes » (Lc 18,11) ? Ne devrais-je pas, au contraire, humblement reconnaître : « Seigneur, si je partage ces convictions, c'est sans mérite de ma part » ? Voilà une bonne raison de rabattre ma superbe. Mais, jamais, sous prétexte que je crois détenir la vérité, je ne puis regarder de haut ceux qui ne pensent pas comme moi.

À la racine de tout sentiment de supériorité, on découvre la tendance instinctive de tout juger par rapport à soi. *« Ce jugement va toujours dans le sens d'un complexe inconscient de supériorité de (notre) part. Et la preuve c'est que notre jugement est presque toujours subjectif et que (nous) jugeons par rapport aux qualités que nous croyons avoir.* » Trop souvent nous confondons « différent » et « inférieur ». Si quelqu'un mange, s'habille, pense, prie d'une autre façon que la mienne, son comportement, lié à une culture ou à une religion, n'est pas « moins bien », il est « autre ». Je prends malheureusement comme référence ma manière de faire, les coutumes de mon pays et les croyances de mon Église. Tout ce à quoi je tiens demeure le centre[2]. Alors, ce sentiment de supériorité me fait traiter les autres avec condescendance ou même avec mépris.

Mépriser un être humain, comme dit P.S. Magdeleine, « *c'est encore pire que la haine* ». Ce sentiment inspire le racisme qui nous fait englober dans le même mépris tout un groupe d'êtres humains. Est-ce inconscient ? Pour débusquer ce qui se cache dans notre cœur, il serait facile de nous poser la question : est-ce que nous considérons tels êtres comme des frères, c'est-à-dire d'abord comme des égaux ? Dans les débuts du travail en usine, P.S. Magdeleine se félicite de l'accueil très sympathique des autres ouvrières, parce que, justement, les Petites Sœurs voulaient être avec elles « *d'égale à égale, sans aucune supériorité, aucun privilège* ». Elle trouve qu'en général « *on ne se préoccupe pas assez de ces problèmes si douloureux qui divisent les riches et les pauvres, ceux qui sont servis et ceux qui servent* », et qui risquent de préparer les explosions de demain : « *Si en plus de cela (ceux qui sont servis) ont un regard de mépris ou d'indifférence pour ceux qui les servent, alors il ne faut plus s'étonner des menaces de guerre civile et de massacres...* » (1954, II 301).

Revenons au pharisien de la parabole. Il se sent supérieur parce qu'il « se flatte d'être juste et méprise les autres », oubliant tout à fait que ces justes n'intéressent pas le Seigneur : « Je ne suis pas venu appeler les justes mais les pécheurs. » Dans ce domaine, on pourrait

[2] Pour désigner cela, on emploie quelquefois les mots: égocentrisme, ethnocentrisme, ecclésiocentrisme.

appliquer la grande loi de P.S. Magdeleine, celle des deux fossés de la route : *« Sur une route, il y a deux fossés. On se fait autant de mal si on tombe dans celui de droite que dans celui de gauche. »* N'évitons pas l'un pour tomber dans l'autre. D'un côté, imbus de je ne sais quelle supériorité, nous rejetons tel groupe de personnes et nous tombons dans le sectarisme ou l'intolérance. À l'opposé, nous nous estimons meilleurs que ceux qui ne se sont pas débarrassés de ce mépris de leurs frères, de cette « peste » du racisme, et nous les jugeons sans indulgence. *« Ne tombez pas dans un autre excès, dans un autre complexe de supériorité, celui de vous comparer à ceux qui n'ont pas encore compris cette gratuité d'amour [...]. La dureté à leur égard n'aurait d'autre effet que d'ajouter un manque d'amour à ceux qui détruisent les êtres »* (1955, II 346).

Seigneur Jésus, aide-moi à me comporter en serviteur de mes frères, à me débarrasser de toute attitude de supériorité. Donne-moi l'humilité devant tout être humain, afin qu'aucun ne se sente humilié par moi. Donne-moi un cœur d'enfant puisque, seul, l'enfant ne peut être pharisien. *« Avec le regard simple et le cœur d'un enfant, tu pourras aller jusqu'au bout du monde et entrer dans tous les pays sans inquiéter les grands, parce que tu ne peux pas leur porter ombrage. Et toi-même, tu te sentiras si "petit", si rien du tout, que tu ne risqueras pas de te croire quelqu'un »* (R21).

# AVEC MARIE, AU PIED DE LA CROIX DE JÉSUS

« Voilà ton fils » (Jn 19,26)

*Je voudrais vous parler de la Sainte Vierge. Peut-être quelques-unes d'entre vous regrettent que je n'en parle pas plus souvent parce que le petit Jésus a pris toute la place… À cause de la raison invoquée, je n'en ai pas beaucoup de contrition car la Sainte Vierge, elle, ne le regrette pas et rien ne doit lui donner tant de joie que de se voir supplantée par celui qui est son fils tant aimé… celui pour lequel Dieu l'a choisie de toute éternité et l'a créée. Pour elle, il était tout et elle se considérait comme n'étant rien d'autre que la* ***servante du Seigneur****, toute docile à sa Volonté* (1958, III 140-141).

*En même temps qu'une âme si grande, Dieu lui avait donné un corps si beau pour que son tout petit enfant puisse être « le plus beau des enfants des hommes ». Elle était si petite et si humble qu'il n'y avait aucun danger qu'elle en tirât de la vaine gloire pour elle-même. Sa gloire ne fut manifestée qu'au ciel lorsque Jésus la couronna Reine du ciel et de la terre…* (III 141).

*Au Calvaire, Jésus l'avait proclamée « Mère du genre humain » au moment où elle souffrait d'une souffrance indicible à cause de la perte de celui qu'elle aimait plus que tout au monde... au moment où son cœur saignait le plus fort de le voir ainsi traité [...]. Et à ce moment même, elle entendit sa voix si chère lui confier un autre fils et, par lui, le genre humain. Et depuis ce jour, tous ceux qui peinent, tous ceux qui souffrent peuvent venir pleurer à ses pieds comme les tout-petits qui viennent à chaque gros chagrin pleurer auprès de leur maman* (ibid.).

*Les Petites Sœurs aimeront contempler Marie avec Jésus, si proches l'un de l'autre à Bethléem, à Nazareth et au pied de la croix, cherchant dans cette contemplation de leur amour réciproque à aimer Marie de l'amour dont Jésus l'aima Lui-même et à aimer Jésus avec son amour à elle* (R 176).

Naguère encore, des exagérations dans le culte de la Vierge Marie faisaient utiliser des formules d'extrême admiration et des manifestations de piété qui, normalement, auraient dû être réservées à son Fils. En réaction, on a déprécié la dévotion mariale, dans l'intention, sans doute, de remettre le Seigneur à sa place véritable. On retrouve ici les deux fossés de la route, si souvent évoqués par P.S. Magdeleine. Si, dans notre piété, Marie ne doit pas cacher Jésus, il est vrai aussi que Jésus ne doit pas dissimuler sa Mère : *« Quand vous avez dans votre main, sur votre table, le tout petit Jésus qui a fini par envahir toutes vos maisons, vos roulottes, vos tentes, vos bateaux, voyez toujours par-derrière lui le profil de la Sainte Vierge»* (III 142).

On hésite à manifester son attachement à la Vierge Marie. Peut-être remet-on en question son importance dans le mystère du salut? La piété mariale, peut-être, ne paraît-elle pas assez virile? À la recherche d'une attitude authentique envers Marie, une seule règle de conduite paraîtra indiscutable: contempler Jésus et nous poser la question: comment a-t-il aimé sa mère? N'est-il pas «notre modèle unique»? *«Lui, Dieu fait homme, l'exemple parfait de toutes les vertus, ne peut que chérir sa mère avec toute la tendresse de son amour filial et qu'être heureux de nous voir, nous aussi, la chérir...»* (1964, III 554). Permets qu'à notre tour, Seigneur Jésus, nous aimions Marie *«de l'amour dont tu l'aimas toi-même»*!

Aimer Marie comme Jésus l'a aimée, jusqu'où cela va-t-il entraîner P.S. Magdeleine? *«Je ne sais comment cela se fait, mais tout doucement et progressivement, le petit Jésus m'a conduite à sa Mère»* (1953, II 257). *«J'ai commencé par le petit Jésus et c'est lui qui m'a fait comprendre qu'il avait besoin de sa mère pour verser à flots ses grâces sur les Petites Sœurs»* (1956, II 421). Et ce sera la merveilleuse aventure qui répandra, à travers l'univers, *«la dévotion à Notre Dame du monde entier, la Vierge qui donne le tout petit Jésus au monde»*. N'est-elle pas *«la mère du genre humain»*?

Quand on essaie de parler de Marie et de son Fils, sans cesse l'un renvoie à l'autre, et la gloire de l'un ne peut offusquer l'autre: *«La gloire de la Mère ne peut pas diminuer la gloire du Fils parce qu'il est tellement évident que la gloire de Marie n'est qu'un reflet de celle de Jésus*» (1964, III 551). Et si nous nous tournons vers Elle comme *« vers une mère tendrement aimée »*, c'est vers Lui qu'elle nous conduira : *« Elle vous donnera son tout petit Jésus pour qu'il soit votre lumière et votre joie. Elle vous consolera non par sa grâce à elle mais par la grâce de son Fils Jésus, s'effaçant devant lui pour vous répéter ce qu'elle disait aux noces de Cana : "Faites tout ce qu'il vous dira"* » (1962, III 427).

Nous rendons-nous suffisamment compte à quel point Marie est proche de nous, créature humaine, vivant dans la foi le mystère auquel elle est associée ? Ne l'exaltons pas au risque de perdre de vue qu'elle a partagé notre condition humaine, la vie humble des petites gens de son village, après avoir connu la pauvreté de Bethléem et le drame des réfugiés, lors de son exode en Égypte. Proche de nous, elle est imitable. *« Alors, regardez Marie... Elle a été une femme comme vous, bien que privilégiée entre toutes les femmes [...]. Elle vécut une vie toute simple au milieu des pauvres... » « Elle est notre sœur parce qu'elle est tout à fait de notre race et qu'elle a connu toutes les étapes de la vie sur terre, avec ses difficultés, ses peines et ses joies ; et elle est notre mère d'une manière merveilleuse dans l'exacte mesure où nous renaissons, en Jésus, d'une vie nouvelle... »* (III 426 ; 563). Dans ce regard sur Marie, nous nous attardons à contempler le mystère de la Visitation, tellement chargé de signification pour Frère Charles. *« Comment agirait-elle, la Vierge, si une voisine dans la peine venait l'appeler, elle qui sut si bien faire rayonner Jésus, invisiblement présent en elle, au moment de la Visitation, à travers les gestes très simples d'une charité profondément humaine ? »* (III 142).

*
* *

À l'origine de l'histoire de « Notre Dame du monde entier », se trouve une expérience spirituelle profonde, vécue par P.S. Magdeleine. Sans la dévoiler complètement, elle donne à entendre qu'il lui était arrivé *« comme un songe »* ou encore *« plus vivant qu'un songe ». « C'est en 1937, avant mon entrée au noviciat des Sœurs Blanches – où je devais me préparer à vivre au Sahara sur les traces du Frère Charles de Jésus – que le Tout-Petit se révéla à moi. Oh ! pas en vision, ne vous inquiétez pas, mais d'une manière presque plus vivante encore... »* (1984, VII 282). Ce tout petit Jésus, elle le reçoit des mains de la Vierge Marie : *« La Vierge voulait donner son Enfant... J'avançais tout timidement et c'est à moi que la Vierge tendit son Enfant avec un tel geste et un tel sourire que jamais je ne pourrai l'oublier »* (N, 1944). Et ensuite, pendant tout son noviciat, ce Tout-Petit s'est *« imposé »* à elle, il la *« fit vivre en sa présence »*. Et c'est alors que *« sous l'impulsion du Saint-Esprit, du moins je le pense – et pourquoi ne le dirais-je pas, puisque maintenant personne ne cache plus les grâces reçues – que le Tout-Petit m'a demandé de le faire entrer dans la Fraternité pour y vivre dans le cœur de chaque Petite Sœur »* (1974, V 206).

Et la Vierge multiplie son geste. Elle donne son petit Jésus *« à tous avec insistance »*, elle le donne à chacune des Petites Sœurs. Au début de la fondation, elles n'étaient que deux, P.S. Magdeleine et Anne, sa compagne, dans la fraternité de Touggourt, et, modestement on y invoquait Notre Dame du Sahara *« donnant son petit Jésus aux nomades... Je l'avais voulu si petit qu'il soit incapable de la moindre action sans sa mère »* (1989, IX 283).

Quand, à partir de 1946, la Fraternité éclate dans toutes les directions pour devenir universelle, la Vierge du Sahara se convertit en « Notre Dame du monde entier » et toutes les petites fraternités, à travers les cinq continents, l'accueillent avec joie.

Dès lors, au long des années, P.S. Magdeleine recherche des artistes pour dessiner, peindre et sculpter, de la façon la plus ressemblante, la Vierge telle qu'elle l'a *« vue »*. *« Le geste que je voudrais pour* ***Notre Dame du monde entier*** *donnant son tout petit Jésus au monde est très difficile à réaliser pour les artistes, mais c'est le geste normal d'une jeune maman qui prend son petit enfant de quelques mois dans son berceau, pose une main sous sa tête ou sous ses épaules, et l'autre sous ses jambes, pour le tendre à quelqu'un qui veut le recevoir »* (1957, III 32). Deux mois plus tard, elle ajoute ces précisions : *«… pas une Vierge qui serre tendrement son petit Jésus dans ses bras ou qui le présente aux hommes, mais une Vierge qui donne au monde son tout petit Jésus de quelques mois, emmailloté de langes, et qu'elle tend, couché sur ses deux mains dans un geste qui doit être si expressif que chacun ait envie de le recevoir. Et lui aussi tend ses bras tout joyeux pour prolonger le geste de sa mère en s'échappant presque de ses bras »* (III 46). Ces statues diffuseront le message qu'elles représentent : *« C'est par les yeux que ce message entrera dans le cœur. »* Tout ce que signifie Notre Dame du monde entier ajoute sa note très particulière à l'esprit d'enfance spirituelle.

*« Ô Notre Dame du monde entier, regarde-nous*

*aujourd'hui avec tendresse. Continue à nous donner ton tout petit Jésus pour que nous le portions à travers le monde avec son message d'humble et confiant abandon, de simplicité et de pauvreté, de douceur et de paix, d'espérance et de joie* » (1967, IV 142).

# EN SUIVANT JÉSUS JUSQU'AU BOUT

« Personne n'a de plus grand amour que celui qui livre sa vie pour ses amis » (Jn 15,13)

*Est-ce que vous avez une seule fois dans votre vie essayé de penser assez profondément à la Passion du Christ pour la réaliser dans toute son intensité de souffrances, depuis la première minute de l'agonie au Jardin des oliviers jusqu'à la dernière minute du Calvaire, en passant par la flagellation, le couronnement d'épines, le portement de croix et le crucifiement? Si c'était votre frère, votre père ou seulement un de vos proches qui avait passé par là, comme votre cœur serait ému... Le Seigneur Bien-Aimé, Lui, il est bien plus qu'un frère et qu'un père... Il n'est personne au monde que nous devions aimer plus que Lui...* (1949, SME 324).

*Je voudrais que vous voyiez* ***le Sauveur du monde*** *en ce Tout-Petit que vous aimez d'un si grand amour. Et j'aimerais que, dans cette lumière, vous cherchiez comment modifier notre invocation à Notre Dame du monde entier disant par exemple : «* ***Notre Dame du monde entier, donne-lui ton tout petit Jésus, le Fils de Dieu, le Sauveur du monde.*** *» Alors, autour* *de vous, cela fera mieux comprendre que vous n'arrêtez pas votre amour à ce Tout-Petit* (1972, IV 626-627).

*Il ne faut pas oublier que la vocation de la Fraternité comporte aussi* ***l'immolation****. On risque de ne pas assez en tenir compte. Dans le tout petit Jésus, il y a déjà Jésus souffrant de la pauvreté et du froid de la crèche, et il y a aussi Jésus de l'agonie au Jardin des oliviers, Jésus flagellé, couronné d'épines et crucifié, en union avec qui nous devons offrir notre vie en immolation.*
*Mais cette immolation qui est dans notre spiritualité ne sera pas recherche de pénitences extraordinaires. Elle sera l'acceptation des souffrances du cœur, de l'âme et du corps... puisque nous offrons chaque jour notre vie à l'immolation pour nos frères d'Islam et du monde entier»* (1964, III 495).

*Je n'arrive pas à m'habituer au vocabulaire actuel « Oh! la pauvre!.. » et à l'air de commisération qui l'accompagne chaque fois qu'une Petite Sœur a la migraine... ou qu'elle reçoit un reproche ou encore qu'elle attend pendant plusieurs heures un « stop » sous le soleil ou sous la pluie... J'ai tout le temps envie de lancer: « Mais souriez donc et dites plutôt: que le Seigneur est bon et que la vie est belle! » puisqu'il nous donne l'occasion de partager sa croix dans la fatigue, la souffrance ou l'humiliation... Notre offrande à l'immolation de chaque matin, à la messe, n'aurait plus aucun sens s'il nous fallait immédiate-*

*ment après, chercher à écarter de notre chemin et de celui de nos Petites Sœurs, toute fatigue, toute souffrance ou toute humiliation* (1959, II 200).

*Le Cœur du Christ, qui a tant aimé les hommes et qui sera pour toi inséparable de son Humanité sainte, est le symbole de son Amour pour son Père et de sa tendresse pleine de miséricorde pour les hommes ses frères. Il est la source d'eau vive où tu puiseras la grâce de ta vocation à l'amour et à l'immolation...* (R 167-168).

P.S. Magdeleine nous invite à penser profondément à la Passion du Christ. Elle-même s'est intensément imprégnée de la contemplation du Seigneur dans ses mystères douloureux : « *Les détails sobres de l'Évangile, c'est déjà tellement affreux... Ce qui me fait encore plus souffrir que la souffrance physique, c'est la souffrance morale, l'abjection dans laquelle Il a été traîné, plongé. Je vis tout cela, c'est pour cela que c'est la flagellation et le couronnement d'épines que je n'arrive pas à supporter [...]. Il y a surtout le crucifiement. Oh ! alors là, ce sont les clous qui retentissent. Là, il n'y a plus l'abjection, il n'y a plus que l'amour et jamais je n'ai tant compris le symbole de ces bras étendus, tout ouverts, tout donnés à la souffrance et tout donnés à l'amour* » (N, 1947).

Évoquant cette rencontre de Jésus souffrant, elle écrit, vers la même date : « *C'est tout un enrichissement pour toutes mes Petites Sœurs en même temps que cette persuasion que tout ce que le Bon Dieu me donne, ce n'est pas pour moi, c'est pour elles, et, par elles, pour les âmes qu'elles atteindront. J'emporte comme une blessure au cœur, quelque chose de tellement douloureux, mais en même temps de tellement pacifiant et comme une source de vie nouvelle qui m'a stabilisée dans l'amour* » (N, 1947).

Spontanément, de son cœur, a jailli ce mot « amour ». N'est-ce pas parce que la Passion du Christ et le Calvaire sont, comme le dit Frère Charles « une suprême déclaration d'amour » ? Et il en tire la leçon pour chacun de nous : « Puisqu'il nous a fait ainsi sa déclaration d'amour, imitons-le en lui faisant la nôtre » (cf. *Prier 15 jours avec Charles de Foucauld*, pp. 31-32). Comment va se manifester notre amour ? Dans la vie de tous les jours, tout peut s'accomplir par amour du Seigneur, les tâches ménagères ou le travail intellectuel, les activités agréables comme les ennuyeuses. Cependant, P.S. Magdeleine redit souvent que les Petites Sœurs *« sont vouées par vocation à l'immolation ». « Chaque matin, vous renouvelez votre offrande, acceptez que le Seigneur vous prenne au mot et vous exauce »* (II 37).

Nous trouvons, P.S. Magdeleine, que ce mot d'immolation, que tu emploies souvent, a une petite allure vieillie et que ce qu'il laisse entendre nous paraît bien redoutable – cela évoque le sacrifice d'Iphigénie ou celui de la fille de Jephté (Jg 11,29ss) ! Tu nous réponds en expliquant que l'immolation est tout simplement *« notre forme de participation à la Passion »* du Seigneur, sans que cela nous fasse entrer dans *« une voie extraordinaire de pénitences volontaires ». « Je vous demande seulement de recevoir de la main (du Seigneur), avec amour, toutes les petites épines et toutes les petites croix [...] et surtout de ne pas vous les grossir, vos épines et vos croix, car elles seront toujours si petites à côté de celles du Christ Bien-Aimé»* (1949, SME 324).

Ce qui m'arrive de pénible, dans la vie de tous les jours, ce qui me fait souffrir physiquement ou moralement, c'est ce que P.S. Magdeleine appelle les épines et les croix, en lien avec la Passion. Saint Paul n'écrivait pas autre chose lorsqu'il parlait de ses propres souffrances: «Je complète en ma chair ce qui manque aux épreuves du Christ en faveur de son Corps, qui est l'Église» (Col 1,24). Ce mystérieux achèvement de la Passion du Seigneur en son Corps mystique donne son sens profond à nos propres épreuves. Que celles-ci soient grandes ou petites, ne nous prenons pas trop au sérieux: voyons *«très large, bien au-delà de notre petit horizon personnel. Alors, si nous sommes incomprises, si nous souffrons physiquement, moralement, spirituellement, qu'importe!.. ou plutôt tant mieux! mais tant mieux avec le sourire, sans s'y appesantir»* (1946, I 286). Si on se regarde trop, ne risque-t-on pas de dramatiser ce qu'on souffre? *«Oh! de grâce, ne vous posez pas en victime à chacun de vos petits malaises... Une victime, c'est le Christ en croix tout sanglant... une victime, c'est n'importe quel supplicié de la Gestapo... une victime, c'est une mère qui agonise dans un hôpital et qui laisse des petits enfants orphelins... C'est tellement grand, une victime, alors que nous sommes des "Petites Sœurs de rien du tout" à qui Jésus, dans son grand amour, daigne de temps en temps demander une toute petite... si petite goutte de sang – le sang du cœur – à verser pour nous associer à sa Passion»* (ibid.). Voilà donc l'immolation qui prend un visage plus familier. Elle ne consiste pas en pénitences extraordinaires mais s'insère dans la trame d'une vie ordinaire. Même si notre sensibilité n'est pas saisie par la Passion du Seigneur, nous y unissons les peines, les fatigues, les coups durs et tout ce qui nous fait souffrir, au long des jours. « *Essayer d'aimer... même si notre cœur n'est pas sensiblement ému. L'amour du Christ est un amour de volonté... La sensibilité n'ajoute rien à sa profondeur et à son intensité.* » « Vouloir aimer, disait Frère Charles, c'est aimer. »

Si nous suivons Jésus jusqu'au bout de l'amour, nous devons laisser retentir en nous les paroles qu'il prononce du haut de la croix : « Père, pardonne-leur car ils ne savent pas ce qu'ils font » (Lc 23,34). Cette suprême prière représente pour nous l'exigence extrême de l'amour fraternel : au-delà du don, le pardon, l'amour plus fort que la haine... Ne nous sentirons-nous pas écartelés ou suspectés si nous voulons, par exemple en cas de guerre, témoigner d'un amour sans frontières ? P.S. Magdeleine le rappelle à ses Petites Sœurs, alors qu'en 1942 elle sillonne la France occupée : « *Toute la journée, j'ai assisté à un défilé de troupes allemandes... Je voudrais que dans notre Fraternité, tout soit amour et douceur. Je vous supplie de ne mettre aucune âpreté dans vos opinions. Mettez-y le grand amour de Jésus, son indulgence, son pardon... Priez pour ceux qui vont tomber des deux côtés* » (I 159-160). « *Suppliez le Seigneur d'avoir pitié de ceux qui meurent, de ceux qui sont obligés de tuer alors qu'ils sont faits pour aimer... C'est cela surtout qu'il faut déplorer dans la guerre...* » (I 162). En dehors de ces périodes dramatiques, existe-t-il, dans notre vie, des personnes à qui nous devrions pardonner ? La difficulté de cette démarche nous paraît parfois insurmontable. Contemplons Jésus sur la croix, le regard extraordinaire qu'il pose sur ceux qui l'ont crucifié et la parole d'amour « Pardonne-leur ». Ses yeux ne sont-ils pas chargés du même amour quand ils se portent sur ceux que nous considérons comme des ennemis ? Ne récitons-nous pas chaque jour « Père, pardonne-nous nos offenses, comme nous pardonnons » ? Seigneur Jésus, tu nous a laissé un idéal, tellement inaccessible sans ton secours : « Aimez vos ennemis, et priez pour ceux qui vous persécutent » (Mt 5,44). Je sais, après l'avoir mille fois éprouvé, que, sans toi, je ne puis rien faire !..

Après que Jésus eut rendu l'esprit, un soldat s'approcha de la croix et « lui ouvrit le côté d'un coup de lance ». On a beaucoup médité, au cours des âges, sur ce cœur transpercé. Même si l'imagerie qu'il a suscitée nous semble, de nos jours, fort discutable, on ne peut faire disparaître *« ce qui fait le fond de cette dévotion et qui a tenu une si grande place dans la spiritualité du Petit Frère Charles »*. Tout en étant tout à fait d'avis que « *la dévotion au Sacré-Cœur doit être rajeunie* », P.S. Magdeleine maintient sa consigne : *« Gardons l'amour du Sacré-Cœur. N'ayons pas honte d'en porter le signe visible sur nos croix... Expliquons bien que ce n'est pas l'organe du cœur que nous vénérons mais l'amour dont il est le symbole »* (IV 323). L'emblème du cœur surmonté de la croix, popularisé par Frère Charles, exprime à la fois l'amour du Seigneur Jésus pour tous les hommes et la preuve de ce si grand amour.

Chaque jour, au cours de la messe, les Petites Sœurs renouvellent leur offrande à l'immolation. Celle-ci n'a de sens, en effet, qu'associée au sacrifice de Jésus. Son corps livré, son sang versé, ils sont là, sous le signe de l'Eucharistie, avec la même densité de présence qu'en ce moment où Il donna sa vie pour nous, mais simultanément avec la participation de son corps ressuscité. Ô mystère de foi qui se joue du temps et de l'espace !

Cette grande preuve de ton amour, Seigneur, à laquelle tu nous fais participer dans l'Eucharistie, contient-elle un appel pour nous ? Serions-nous prêts à te donner cette preuve du don total, comme tu la demandes à quelques-uns d'entre nous ? *« Que notre amour soit fraternel et universel, jusqu'à en souffrir dans toutes les profondeurs de notre être… jusqu'à en mourir si Dieu veut, comme Frère Charles de Jésus dont l'existence peut être résumée, à la suite du Christ, par ces mots "**Il n'est pas de plus grand amour que de donner sa vie pour ses amis**" »* (1950, II 72).

*« Que Frère Charles de Jésus vous communique son amour tendre et brûlant pour le Christ et pour ses frères les humains. Qu'il vous obtienne la joie de donner votre vie pour eux, lentement ou brutalement, dans l'abandon et la solitude ou dans la joie d'une fraternelle amitié. Qu'importe la forme si l'amour y est. Lui seul compte pour la rédemption du monde… »* (ibid. 75).

# AVEC JÉSUS VAINQUEUR DE LA MORT

« Il est ressuscité et il vous précède en Galilée » (Mt 28,7)

***Le Christ est ressuscité****! Alléluia! Quel plus beau jour pour vous écrire que celui de la Résurrection du Christ, notre joie et notre espérance [...].*
*Avec Lui, nous venons de gravir le chemin du Calvaire en essayant de compatir à sa souffrance... Peut-être comme Simon de Cyrène, avons-nous pu l'aider un peu à porter sa lourde croix. Mais peut-être aussi, hélas! Lui avons-nous été par trop indifférentes, comme la foule de Jérusalem qui le voyait passer sans pitié, et sans doute aussi avons-nous même ajouté encore à sa souffrance le poids de nos propres péchés...*
*Mais aujourd'hui, c'est la joie qui doit dominer car le Christ est ressuscité* (1965, IV 22).

*Le Christ est ressuscité! Je vous écris à l'aube de cette Résurrection et je voudrais que ma lettre en soit toute pénétrée. Elle vous transmettra la joie de Pâques, cette joie fondée sur la pure foi dans l'Amour du Seigneur qui devrait pour un temps chasser de vos cœurs et de vos âmes tout sentiment personnel de souffrance et d'épreuve. Frère Charles de Jésus nous*

*l'a dit: «Alléluia... Alléluia... notre Bien-Aimé est heureux... Que nous manque-t-il?»*
*Mais n'ayez pas de peine si vous n'êtes pas encore arrivées à cette joie si pure. Désirez-la en acceptant l'obscurité et la nuit, si la joie pascale n'a pas pu faire complètement disparaître leurs ombres... [...]. La vraie joie de Pâques, sans ombre, c'est au ciel que nous l'aurons parce qu'alors nous serons purifiés de tout ce qui nous alourdit encore et surtout parce qu'il n'y aura plus aucune souffrance à partager autour de nous avec tous ceux que nous aimons* (1952, II 148-149).

*Au lieu de trop s'appesantir en de sombres perspectives, je préfère supplier le Christ de la Résurrection de faire souffler sur la Fraternité un vent tout nouveau de jeunesse, de vigueur et de joie [...].*
*Que cette nouvelle période qui commence, la période par excellence de Pâques, où on doit rejeter le vieux ferment pour devenir une pâte nouvelle, soit pour toutes, jeunes et vieilles, une période de rajeunissement, de résurrection et de vie nouvelle...»* (1959, III 189-190).

Dans le soleil de Pâques, le Christ ressuscite... Et prolongeant la joie des apôtres à travers les siècles, nous, aujourd'hui, nous croyons qu'il est vivant! *«La résurrection est devenue la preuve la plus convaincante de sa divinité... l'appui de notre foi... la source de notre espérance»* (VI 314).

La fête de Pâques oriente nos regards vers l'avenir, elle entraîne vers le renouveau. *«Alléluia! Le Christ est ressuscité!.. Nous aussi!.. Alors on va faire du neuf. Ici, on n'a pas le droit de retourner en arrière. On marche vers l'avenir!»* (I 286). S'adressant à ses Petites Sœurs, P.S. Magdeleine demande *«que la fête de Pâques renouvelle la générosité de leur don».* Présentant l'engagement de la vie religieuse comme une histoire d'amour, elle explique: *«Cet amour du Seigneur, reçu et rendu, c'est cela l'essence même de la vie religieuse qui n'est pas seulement pour nous le moyen de partager la souffrance humaine dans une vie vécue au milieu des pauvres, mais qui est avant tout un échange d'amour entre Dieu et nous... Dieu spécialement dans la personne du Verbe incarné, notre* ***Bien-Aimé Frère et Seigneur Jésus*** » (1966, IV 86). Je ne me permets pas de te contredire, chère P.S. Magdeleine, mais je voudrais observer que les religieuses n'ont pas le monopole de cet *«échange d'amour entre Dieu et nous»,* les laïcs aussi, à leur manière bien entendu, correspondant à leur vocation. Nous serons tous jugés sur l'amour!

Et les fêtes pascales nous appellent tous à nous renouveler, peut-être dans le secret des cœurs, mais aussi dans notre comportement extérieur, afin que nous ayons des allures de ressuscités. Ce que le Seigneur attend précisément de nous pour cela, nous le savons bien. Quelquefois, notre entourage le sait mieux que nous!

Comme les saintes femmes, revenues du tombeau, dans le petit matin de Pâques, s'étaient transformées en messagères de la bonne nouvelle, ne devons-nous pas être porteurs d'espérance? Et d'abord que ce message de joie pascale nous atteigne nous-mêmes, nos familles, nos proches: *«Qu'un torrent d'espérance et de joie submerge toutes nos lourdeurs et nos tristesses, comme l'oued qui emporte tout sur son passage mais qui est ensuite source de fertilité et de richesse…* ». Cependant, écrit encore P.S. Magdeleine, « *cette joie, cette espérance, beaucoup peut-être ne les sentiront pas… Qu'elles ne se découragent pas, qu'elles supplient le Seigneur de leur donner la grâce de croire à son Amour* » (1981, VI 444).

Élargissons le cercle de ceux auxquels nous porterons cette espérance. Tant d'êtres humains, autour de nous, sont « *écrasés par la misère, l'injustice ou l'oppression… sans avenir, frustrés de leurs espoirs les plus légitimes, marginaux…* » À tous ceux-là, par ce que nous sommes pour eux, par ce que nous faisons avec eux, nous essayerons d'apporter un peu d'espoir… « *Et tu te souviendras qu'un seul regard d'amour porté sur celui qui est méprisé peut faire naître en lui une lueur d'espérance et de joie et révéler, à ceux qui en sont les témoins, la dignité de tout être humain* » (R114-115).

En 1980, un terrible tremblement de terre secoue l'Italie du sud, faisant des milliers de morts, ravageant des villages de montagne. Des femmes, des enfants, des vieillards, passant la nuit dans le froid de l'hiver, se trouvent plongés dans le désespoir. « *Les sept Petites Sœurs parties très vite pour venir au secours de cette misère sont bouleversées de tout ce qu'elles voient, de tout ce qu'elles entendent… La révolte succède au désespoir.* » P.S. Magdeleine achève le récit de ce douloureux événement par cette admirable réflexion : « *Au cœur de tant de détresses, il nous faut cependant garder l'espérance au nom de tous ceux qui sont trop accablés et ne peuvent plus espérer* » (VI 313).

Quand on demande à P.S. Magdeleine de nous parler d'espérance, elle nous ramène toujours auprès de la crèche, tant ce mystère se trouve au centre de sa vie. Quand nous éprouvons la tentation du découragement, que faire ? sinon se laisser guider par l'étoile, à la suite des mages : *« Suivez-la bien cette étoile messagère d'espérance. Pendant un temps, les mages ne la virent plus et seraient retournés chez eux, pleins de tristesse et désemparés, s'ils n'avaient pas eu au cœur la certitude qu'ils l'avaient aperçue un jour, cette étoile »* (1950, II 79). « Nous avons vu son étoile et nous sommes venus. » Après la Pentecôte, les Apôtres proclameront un message analogue : « Il est ressuscité, nous en sommes témoins. » Et toute leur vie – toute l'Église – sera construite sur cette expérience, sur « ce qu'ils ont vu de leurs yeux » (1 Jn 1,1). Nous-mêmes, *« un jour, une heure seulement peut-être »*, n'avons-nous pas *« entrevu une petite lumière »*, dont l'apparition a été décisive dans notre vie. *« De grâce, ne fermez pas les yeux à cette lumière. Suppliez le tout petit Jésus de vous garder toujours une lumière d'espérance afin que les ténèbres ne vous envahissent pas et que vous marchiez généreusement dans cette lumière, dût-elle vous emmener jusqu'au bout du monde »* (ibid.). Continuons de marcher même à l'heure de l'épreuve, nous souvenant de ce vers du poète : « C'est la nuit qu'il est beau de croire à la lumière ».

Pour être dans la joie, je ne vais pas attendre qu'éclatent les alléluias de Pâques, je ne vais pas guetter l'étoile de Noël. « Soyez toujours dans la joie du Seigneur ; laissez-moi vous le redire : soyez dans la joie ! » (Ph 4,4). Saint Paul exhorte ainsi les Philippiens, sans leur fixer un temps liturgique spécial consacré à la joie. Rien ne peut ôter de notre esprit la conviction que le Christ est ressuscité et qu'il est dans la joie. Frère Charles, comme le rappelle

P.S. Magdeleine, nous redit mille fois : « Notre Bien-Aimé est heureux… que nous manque-t-il ? » Son cœur plein de compassion et de tendresse continue à battre dans sa poitrine de ressuscité et il ne cesse de nous aimer, même si nous ne le sentons pas. C'est là notre étoile !

Même si les Petites Sœurs doivent être *« un sourire sur le monde »*, tout n'est pas rose dans leur vie. Lorsque la souffrance vient frapper à la porte, peut-on éprouver de la joie ? Comment se réjouir lorsque nous sommes solidaires de tant de malheureux ? N'est-ce pas un des paradoxes chrétiens que la présence de la joie au cœur de la souffrance ? *« Pour chacune de vous, je demande une grâce de joie. Je la demande envers et contre tout, plus spécialement encore pour celles qui souffrent et qui vivent dans le plus sombre tunnel. Qu'elles regardent bien… et tout au bout leur apparaîtra une petite étoile qui réjouira leur cœur d'espérance »* (ibid.). Je me souviens – vous aussi, sans doute – de malades qui, malgré les souffrances endurées, rayonnaient de sérénité et de paix : quelque chose de la joie de Dieu se reflétait en eux. Dans une réunion avec les Petites Sœurs, au moment de Noël, P.S. Magdeleine reprend ce thème : *« Enlevons toutes les ombres, car Noël c'est la fête de la joie. Cela n'empêchera pas certaines de souffrir. Il y a une grande différence entre la tristesse et la douleur. La tristesse vous replie sur vous, tandis qu'on a le droit de souffrir, même le jour de Noël, en pensant à tous ceux qui passent cette journée en prison, au milieu des tortures… etc. Mais qu'il y ait quand même de la joie dans votre cœur et surtout de l'espérance »* (1976, V 421).

Cette concomitance de la souffrance et de la joie nous devient merveilleusement présente chaque jour dans le mystère eucharistique. Nous communions au sacrifice d'un ressuscité. Le passé vient à nous dans le présent. Et le Seigneur se trouve parmi nous, lui qui n'a pas voulu nous quitter et qui, au moment d'être enlevé à la vue de ses apôtres, leur promit : « Et moi, je suis avec vous tous les jours jusqu'à la consommation des temps. » Sur ces mots d'espérance se clôt l'évangile de Matthieu (28,30). Et, sur la foi de cette parole, l'Eucharistie est *« au cœur des fraternités »* à travers le monde, elle est au cœur de nos vies.

Seigneur Jésus, la mort n'a pas le dernier mot. Ranime en moi la petite flamme de l'espérance... Et par-dessus tout, je te supplie de faire que, pas un seul instant, je puisse douter de ton amour ! Puissé-je le chanter chaque jour, même si des nuages cachent la petite étoile, en attendant d'aller le chanter en ton paradis. Et là, croyez-le bien, je chanterai juste !

# JÉSUS EST AVEC NOUS TOUS LES JOURS

« Ne crains pas petit troupeau » (Lc 12,32)

*Depuis le premier jour de la fondation, je vous ai demandé d'avoir un grand amour pour l'Église, de lui faire confiance, sans écouter la voix de ceux qui cherchaient à vous en détourner.*
*Depuis le premier jour de la fondation, je lui ai fait une confiance totale... J'ai obtenu les choses les plus invraisemblables pour l'époque : les Petites Sœurs sous la tente, en plein désert... dans les roulottes des Gitans... sur les fêtes foraines et dans les cirques... dans les prisons... sur les routes du « stop »... des Petites Sœurs très jeunes s'éparpillant dans le monde entier par deux ou trois... Alors, quand on me dit qu'à Rome on a l'esprit étroit et rétrograde, je ne le crois pas et je répète : si vous faisiez confiance à l'Église au lieu de vous en écarter, elle vous ferait confiance. Elle n'avait aucune raison de me faire confiance à moi qui, si naïvement, avais dit en arrivant à Rome, en 1944, alors que nous étions à peine douze : « Nous établirons notre Maison-mère à Rome. » Ni Pie XII ni Mgr Montini ne m'ont traitée d'illuminée... Peut-être est-ce parce qu'ils ont senti mon amour de l'Église*

*et ma confiance en celui à qui le Christ avait dit « Tu es Pierre »…*
*Cette confiance qui deviendra pour vous source de joie et de jeunesse, je voudrais vous la donner…* (1978, V 668).

*Cette Église (institutionnelle) a, depuis plus de quarante ans, accepté qu'une de ses congrégations fasse officiellement partie du monde des pauvres au détriment de ce qu'on appelait autrefois la « dignité religieuse » […]. Cela ne m'empêche pas de souffrir avec vous de certaines attitudes de cette Église […]. Mais, malgré cela, je vous redis encore : si j'ai fondé la Fraternité, c'est pour qu'elle soit une* ***cellule d'Église****, pour qu'elle rende l'Église présente là où elle n'est pas connue et où elle n'est pas aimée. Ce n'est pas en cachant notre appartenance à l'Église que nous la ferons comprendre et aimer* (1981, VI 369-370).

*Je n'ai pas voulu faire autre chose qu'une* ***œuvre d'amour****. Et maintenant c'est à chacune de vous qui vous êtes engagées après moi sur le même chemin, de continuer à en faire, vous aussi, une œuvre d'amour, en gardant toujours bien conscience qu'elle ne nous appartient pas mais qu'elle est* ***œuvre d'Église*** *(ibid.)*

*Ce que je désire pour l'Église, c'est d'abord – et c'est le désir de beaucoup – que, tout en restant l'Église de tous, elle soit de plus en plus l'Église des pauvres, de ceux que le Christ a aimés d'un amour de prédilection. Que tous les pasteurs de l'Église prennent parti*

*pour ceux qui sont opprimés et méprisés, sans avoir peur de se compromettre…*
*Pour être l'Église des pauvres, qu'elle ne construise plus de « palais » épiscopaux et ne s'entoure pas de meubles et d'objets de luxe… Qu'elle supprime peu à peu tous les titres honorifiques comme ceux de Révérende, Très Révérende… etc., pour que ces charges expriment réellement un rôle de service. Qu'elle ouvre tout grand ses portes aux autres Églises et qu'elle soit de plus en plus miséricordieuse envers tous les pécheurs, accueillante comme le Christ aux incroyants et aux persécuteurs…* (1983, VII 482).

Qu'il est difficile d'aimer notre Église ! D'ailleurs ne chargeons-nous pas ce mot de sens différents suivant les propos que nous tenons ? Tantôt nous nous en sentons solidaires, tantôt nous la jugeons « de l'extérieur », comme si nous n'en étions pas. L'Église ne comporte pas seulement sa hiérarchie, l'Église c'est nous aussi, Église de saints et de pécheurs.

P.S. Magdeleine a exhorté avec insistance ses Petites Sœurs à un attachement fervent à l'Église, tout à fait dans l'esprit de ce qu'a souhaité Frère Charles pour ses futurs disciples. *« Frère Charles de Jésus a répété tant de fois dans ses écrits et il a dû le répéter encore plus souvent dans ses paroles : "Qui vous écoute m'écoute… Qui vous méprise me méprise" (Lc 10,16). Pour lui l'Église, c'est le Corps du Christ… c'est le Christ lui-même. Il la respectait et il l'aimait, cette Église, comme il respectait et aimait le Christ »* (1983, VII 69).

En affirmant cela avec vigueur, P.S. Magdeleine, tu

sais très bien ce que l'on va te répliquer : tu tends à faire des chrétiens un troupeau de brebis qui suivent inconditionnellement leur pasteur et ne se permettent pas de critiquer. Que vas-tu répondre ? « *Autant que vous, croyez-le bien, et plus encore peut-être, je déplore les faiblesses et les erreurs de certains des représentants (de l'Église). J'en pleure parfois de les voir ne pas reprocher aux gouvernants leur mépris des droits de l'homme et leur indifférence à la souffrance des pauvres, même quand il serait possible de le faire... de les voir être amis de ceux qui les exploitent, habiter des palais et rouler dans des voitures de grand luxe. Mais leurs faiblesses et leurs erreurs ne peuvent pas faire condamner l'Église tout entière, pas plus que les fautes des membres d'une famille ou d'un pays ne peuvent faire condamner toute la famille ou tout le pays* » (ibid.). Nous souffrons à cause de l'Église comme nous souffririons de la faute d'un membre de notre famille, mais elle reste notre famille.

Partagés entre la fierté et les regrets, nous assumons toute l'histoire de l'Église avec ses ombres et ses lumières. Et si nous braquons le projecteur sur l'Inquisition, n'oublions pas que l'Église c'est aussi François d'Assise ou mère Teresa. Nous succombons parfois à ce que l'on pourrait appeler un « pharisaïsme de génération » : « merci, mon Dieu, d'être parmi les chrétiens lucides de notre époque et non pas comme ceux qui nous ont précédés, prisonniers de manières de penser et d'agir tout à fait condamnables ». Une autre façon de nous dissocier de l'héritage, c'est d'accueillir sans sourciller le compliment : toi, tu n'es pas comme les autres curés – ou les autres chrétiens, suivant celui que l'on interpelle. Que voilà un propos qui nous suggère l'action de grâces du pharisien !

Pourquoi est-il difficile de s'arrêter sur la pente glissante de la critique ? Sommes-nous gênés par un brin de respect humain ? Ne pouvons-nous pas partager le réflexe de fidélité : « ma mère est comme ça, c'est vrai, et pourtant c'est ma mère », et, au lieu de nous désoler, travailler dans notre secteur à embellir son visage. *« Soyez dans le siècle actuel une lumière de jeunesse et de joie. Il ne faut pas que le Concile*, écrit P.S. Magdeleine après sa clôture, *qui a voulu embellir l'Église – non en supprimant l'ancien mais en le rajeunissant – laisse certaines âmes vieillir dans le dénigrement du passé qui a pourtant produit de si grands saints... et en laisse d'autres dans l'amertume de ce rajeunissement de l'Église »* (1965, IV 61). On retrouve encore les « deux fossés », entre lesquels s'avance, cette fois-ci, la jeunesse de l'Église.

Quel est l'apport original de P.S. Magdeleine dans la vie aux multiples courants de l'Église contemporaine ? On pourra mieux le comprendre si on saisit ses intentions. Elle a voulu des Petites Sœurs mêlées aux masses humaines, contemplatives au milieu du monde, vivant parmi les humains les plus pauvres. La nouveauté de ce projet ne consiste pas dans la pauvreté – beaucoup de religieuses la pratiquent, souvent très rigoureusement – mais dans le partage de la « condition des pauvres », de leur travail, de leur habitat, de leur style de vie. Vouloir être « pauvre socialement », Frère Charles est à l'origine de ce mouvement dans l'Église. Quand, il y a cent ans, il quitte la Trappe de Syrie, pourtant très pauvre, où il est moine, c'est pour « vivre de la vie des pauvres » (cf. *Prier 15 jours avec Charles de Foucauld*, pp. 43ss). Suivant cette inspiration, P.S. Magdeleine a voulu que sa congrégation soit reconnue, dans l'Église, comme faisant *« officiellement partie du monde des pauvres »*. Vous imaginez sa grande joie lorsqu'elle reçoit l'approbation des autorités de Rome. Désormais, elle peut répondre à ceux qui attaquent l'Église parce qu'elle n'est pas assez l'Église des pauvres : *« Nous voulons être la preuve que l'Église a encouragé le partage de la vie des pauvres »* (1975, V 271). Des Petites Sœurs, par exemple, vivent parmi les habitants d'un bidonville. Elle rendent l'Église proche d'eux, qui en sont peut-être très éloignés. P.S. Magdeleine leur demande alors de *« mieux comprendre que votre vocation de Petites Sœurs doit vous faire solidaires de l'Église "institutionnelle" et la faire reconnaître comme Église des pauvres à cause de votre présence (dans ce milieu). Vous ne pouvez pas séparer l'Église des pauvres et l'Église "institutionnelle". Il n'y a qu'une Église, celle du Christ, dont nous sommes les membres, chacun à notre place »*. Et de conclure : *« Lorsque je serai au Paradis, je serai certainement plus convaincante »* (1980, VI 215).

Parler obéissance, quand il s'agit de l'Église, semble incongru, tant elle est aujourd'hui remise en question. Quant à l'attachement si filial de Frère Charles au Saint-Père, cela paraît un peu démodé. Dans ce domaine, les critiques pleuvent. Cela me rappelle ce prélat qui disait en souriant : « Si au lieu de me critiquer, on passait autant de temps à prier pour moi, je serais peut-être un peu plus à la hauteur de ma tâche ! » Et P.S. Magdeleine remarque : *« L'esprit critique est un tel signe de vieillissement »*.

Notre attitude à l'intérieur de l'Église s'inspire un peu trop de notre comportement dans la société civile. Pourtant, nous le croyons, l'Église n'est pas tout à fait une société comme une autre, et la foi doit intervenir dans les jugements de tout fidèle de cette Église. Bien sûr, c'est *« par une créature humaine que sera transmise la volonté du Seigneur, dès l'instant qu'elle est revêtue de l'autorité du Christ présent dans son Église »*. P.S. Magdeleine précise aux Petites Sœurs : *« Pour que ton obéissance soit vraiment un acte d'amour, tu devras obéir avec toute ton intelligence et tout ton cœur, sachant rejoindre, au-delà de l'expression, la véritable pensée de ceux qui seront pour toi une présence de la Volonté du Seigneur »* (BV 8-9). Et elle recommande *« une soumission totale et un filial amour pour la personne du Saint-Père et pour toute la hiérarchie »*.

Lorsque, en 1944, elle se rend à Rome pour soumettre aux plus hautes autorités, les premières constitutions de la Fraternité, sa « docilité d'enfant » envers l'Église s'allie parfaitement à cette prière : *« Jésus, défends-moi. Je suis venue apporter à Rome le plus cher de mon idéal [...]. Jésus, touche le cœur des hommes... car ces hommes, c'est en ton nom qu'ils vont me parler et je ne pourrai pas résister à leur volonté »* (N, 1944).

Mais son obéissance est mise à rude épreuve, quinze ans plus tard, lors d'une « visite apostolique » d'un représentant du Pape, extrêmement pénible pour elle et ses sœurs. À cette occasion, elle dit dans une réunion : *« Les Constitutions donnent comme une de leurs consignes les plus importantes : "Avoir une foi invincible en la toute-puissance de Jésus, Maître de l'impossible". C'est sur cette parole d'espérance et de confiance qu'il faut regarder vers l'avenir. Le Seigneur est toujours présent. Il est là, dans les tunnels les plus obscurs. Et l'arc-en-ciel est d'autant plus beau et la lumière plus éclatante que la tempête a été plus violente et le tunnel plus sombre... Je me redis tout cela au long de la journée: "Confiance en l'avenir". Nous avons des heures difficiles à passer. Plusieurs Petites Sœurs sont désorientées et j'ai vu des larmes dans bien des yeux. Mais Jésus est le Maître de l'impossible. Nous sortirons de l'épreuve plus fortes parce que nous aurons souffert pour maintenir l'esprit et la vocation de la Fraternité tout en demeurant dans un total esprit d'obéissance à l'Église»* (1959, III 249). Cette dernière phrase résume parfaitement comment P.S. Magdeleine vit l'obéissance en Église : dialoguer pour *« maintenir l'esprit et la vocation de la Fraternité »*, tout en étant prête à une totale docilité à ce qui serait imposé. N'est-ce pas l'attitude de Jésus, le « modèle unique », au jardin de Gethsémani, où il suppliait « de façon instante », tout en répétant « non pas ma volonté, ô Père, mais la tienne » ?

À la sortie du « tunnel », elle peut écrire ces quelques lignes : *« Je pense alors à cette parole qui m'a été dite un jour par un évêque: "On ne peut affirmer qu'on aime réellement l'Église qu'après avoir souffert par elle" [...]. Mais dussé-je en souffrir dix fois plus encore, je garderai toujours au cœur le même amour de l'Église et du Saint-Père que, de toutes mes forces, j'essaierai d'inculquer à la Fraternité tout entière. J'ai seulement perdu un peu de ma spontanéité. Ma confiance sera désormais davantage basée sur la foi... »* (1961, III 334).

Oui, Seigneur, donne-nous la foi, celle qui voit plus loin que l'humain, celle qui tient bon dans la tempête !

Des années passent, et P.S. Magdeleine met le point final à la *Règle de vie* des Petites Sœurs de Jésus. Quelques semaines avant de leur en remettre un exemplaire, elle énumère les *« idées-forces de la fondation »*. Il se trouve que les trois premières de la liste sont celles-ci : *« Vie contemplative centrée sur l'Eucharistie et vécue au cœur du monde, comme un levain dans la pâte... Sens profond du mystère de l'Église, Corps du Christ et peuple de Dieu... Fidélité totale et filial amour envers Celui que le Christ a choisi pour en être le Pasteur »* (1983, VII 28-29). Ce qui occupe notre cœur vient spontanément à nos lèvres. Ainsi P.S. Magdeleine cite d'abord l'Eucharistie et l'Église : n'est-ce pas symptomatique ? À ces deux mystères aboutit l'itinéraire de toute une vie, à la suite du Bien-Aimé Seigneur Jésus.

*« Il m'a pris par la main et, aveuglément, j'ai suivi. »*

# BIBLIOGRAPHIE

*Où trouver les écrits de P.S. Magdeleine ?*


– *À la suite du Frère Charles de Jésus, la Fraternité des Petites Sœurs de Jésus.* Cette plaquette de 40 pages, appelée depuis le « Bulletin vert », publiée pour la première fois en 1946 (rééditée plusieurs fois) contient les idées-forces de la fondation (chez les Petites Sœurs).

– *Du Sahara au monde entier (1936-1950)*, Nouvelle Cité, Paris 1982, 425 p.

– *D'un bout du monde à l'autre (1950-1956)*, Nouvelle Cité, Paris 1983, 526 p.

Ces deux volumes détaillent l'historique des premières années de la Fraternité des Petites Sœurs (jusqu'au 31 décembre 1956) grâce aux extraits de diaires et de lettres de P.S. Magdeleine, choisis et présentés par elle-même.

– *Jésus est le Maître de l'impossible*, Le Livre ouvert,

Mesnil Saint-Loup 1991. Brochure de 62 pages regroupant, par thèmes, de courts extraits de P.S. Magdeleine (existe en 13 langues).

*Biographie de P.S. Magdeleine :*

– Kathryn Spink, *Petite Sœur Magdeleine de Jésus* (traduit de l'anglais par M. Huguet). Centurion, Paris 1994, 345 p. (outre l'édition originale anglaise et l'édition française, cet ouvrage est traduit en italien, portugais et russe).

*Adresse des Petites Sœurs de Jésus*

Fraternité générale :
Piccole Sorelle di Gesù
Via di Acque Salvie, 2
Tre Fontane
I 00142 ROMA
Italie

# TABLE DES MATIÈRES

# DANS LA MÊME COLLECTION

1. Philippe Ferlay, *Le Christ-Prêtre*
2. Gabriel-Marie Garrone, *Le Concile Vatican II*
3. Claude Morel, *François de Sales* (3e édition, traduit en italien, et en anglais en Inde)
4. Constant Tonnelier, *Jean de la Croix* (3e édition, traduit en italien, en polonais et en portugais au Portugal)
5. Georges Rotheval, *Marie Noël* (2e édition)
6. André Pinet, *Jean Tauler*
7. Robert Schiélé, *Don Bosco* (traduit en italien)
8. Suzanne Vrai et André Pinet, *Thomas d'Aquin*
9. Pierre Blanc, *Le Curé d'Ars* (2e édition, traduit en portugais au Portugal)
10. André Gozier, *Maître Eckhart*, (traduit en tchèque)
11. Jean Abiven, *Thérèse d'Avila* (2e édition, traduit en portugais au Portugal et en coréen)
12. André Dupleix, *Pierre Teilhard de Chardin* (2e édition, traduit en italien)
13. Thaddée Matura, *François d'Assise* (2e édition, traduit en italien, en espagnol, en polonais et en portugais au Portugal)

14. André Gozier, *Saint Benoît* (traduit en italien)
15. Pierre-Yves Émery, *Saint Bernard*
16. Michel Lafon, *Charles de Foucauld*
17. Jean-Marie Ségalen, *Saint Alphonse de Liguori* (traduit en portugais au Brésil)
18. Jaime García, *Saint Augustin* (traduit en espagnol)
19. Constant Tonnelier, *Thérèse de Lisieux* (2e édition, traduit en polonais et au Brésil en portugais)
20. Chantal van der Plancke et André Knockaert, *Catherine de Sienne* (traduit en polonais)
21. Véronique Pinardon et Jean Bulteau, *Louis-Marie Grignion de Montfort*
22. Gérard Dufour, *Marguerite-Marie*
23. André Gozier, *Thomas Merton*
24. Cardinal Paul Poupard, *Paul VI*
25. Marc Donzé, *Maurice Zundel*
26. Joseph Pyronnet et Charles Legland, *Gandhi* (traduit en italien)
27. François Vayne, *Bernadette*
28. Matthieu Arnold, *Martin Luther*
29. Bernard Pitaud, *Madeleine Delbrêl*
30. Christian Delorme, *Martin-Luther King*
31. Michel Lafon et les Petites Sœurs de Jésus, *Petite Sœur Magdeleine*

Cet ouvrage a été reproduit et achevé d'imprimer par l'Imprimerie Floch à Mayenne en mars 1998 pour le compte des éditions Nouvelle Cité, 37 avenue de la Marne, 92120 Montrouge.

PREMIÈRE ÉDITION

ISBN 2-85313-322-2. N° d'impr. 43389. D.L. mars 1998.
(Imprimé en France)